'19

ROCK*MANN

CZYLI JAK NIE ZOSTAŁEM SAKSOFONISTĄ

WOJCIECH MANN

ROCK*MANN

CZYLI JAK NIE ZOSTAŁEM SAKSOFONISTĄ

Wydawnictwo Znak * Kraków 2010

Projekt okładki i opracowanie graficzne
mill studio
www.millstudio.pl

Opieka redakcyjna
Mariusz Gądek

Wybór fotografii
Katarzyna Ziębowicz-Tobolewska

Adiustacja
Julita Cisowska

Korekta
Barbara Gąsiorowska
Katarzyna Onderka

Łamanie
Irena Jagocha

ISBN 978-83-240-1459-0

 Książki z dobrej strony: www.znak.com.pl
Społeczny Instytut Wydawniczy Znak, 30-105 Kraków, ul. Kościuszki 37
Dział sprzedaży: tel. (12) 61 99 569, e-mail: czytelnicy@znak.com.pl

Intro

Książki od najmłodszych lat były dla mnie czymś szczególnym.

Wprowadzały mnie w nurt fascynujących wydarzeń bez ograniczeń, które narzucała rzeczywistość. Książki były lepsze od dzisiejszych agresywnych mediów, pozostawiających tak niewiele miejsca na wyobraźnię. Nic więc dziwnego, że gdy Wydawnictwo w osobie Jerzego Illga zaproponowało mi napisanie książki, porządnie się wystraszyłem. W końcu książki piszą pisarze. Umówiłem się więc sam z sobą, że jeśli nawet opowieść o moim poznawaniu świata muzyki będzie wydrukowana i opatrzona ilustracjami, a może nawet specjalnie zaprojektowaną okładką, to na pewno nie będzie „książką" w moim rozumieniu. Potraktujmy to wydawnictwo jako wspomnienie o tym, jak przez kilka dziesięcioleci żyłem muzyką. To moje życie muzyką było dość pasożytnicze, ponieważ sam jej nie tworzyłem. Przeszedłem zaledwie drogę od słuchania i gapienia się do przekazywania tego, co lubię, innym. Po drodze poznałem wiele sekretów świata rozrywki, rozmawiałem ze znanymi i nieznanymi jego mieszkańcami, nauczyłem się wielu potrzebnych i zupełnie niepotrzebnych rzeczy, ale, co najciekawsze, nigdy nie poczułem znużenia ani przesytu.

umba – BATERYJNY

radio w każdym domu

62 ZPZ CZECHOWICE PRZEC. 64 ZAP. 25 GR.

-Pierwsze radio,----
-pierwszy gramofon,-
-pierwsza płyta ----

Moje pierwsze świadome kontakty z muzyką miały miejsce w latach pięćdziesiątych.

Zawdzięczam je odbiornikowi radiowemu AGA, który otwierał przede mną magiczny świat eteru. Sąsiadka z piętra, niejaka Marysia, próbowała mnie przekonać, że w skrzynce radiowej siedzą małe ludziki i mówią oraz grają na instrumentach. Twierdziła, że wystarczy rozgrzebać palcem tkaninę umieszczoną z przodu odbiornika, aby dostać się do ludzików. Nie wierzyłem jej, ale ziarnko wątpliwości zostało zasiane.

Któregoś wieczora podszedłem do sprawy diametralnie inaczej, niż radziła Marysia, i zdjąłem ostrożnie tylną ściankę. Oczarowała mnie kraina świecących lamp, przewodów i innych nieznanych mi bliżej elementów przypominających tajemnicze miasto nocą. Nierozwiązana pozostała kwestia, czy rzeczywiście w tym tajemniczym mieście mieszkają ludziki.

Pierwsze moje wrażenia estetyczne dotyczące tego, co nadawało Polskie Radio, ograniczały się do takich orkiestr jak ta kierowana przez Feliksa Dzierżanowskiego, Edwarda Ciukszę bądź Jana Cajmera. Rytmy proponowane przez te zespoły, mimo niewątpliwych talentów muzyków i dyrygentów, wydawały mi się nienowoczesne, a do tego podejrzanie silnie lansowane przez Radio. Trzeba przyznać, że orkiestra Cajmera próbowała przeciwstawić się komunistycznej modzie na bezbarwność i ludowość. Swingowali, usiłując przemycić zachodnią muzyczną truciznę na teren Polski. Ten dyrygent i bandleader zniknął jednak z mojego widnokręgu muzycznego. Zawsze dobrze poinformowany wujek Janek przekazał nam poufną informację, że pan Cajmer uciekł do Izraela ze złotą patelnią. Trochę mnie zdziwiło, dlaczego akurat z patelnią, bardziej logiczne byłoby udanie się w podróż ze złotymi skrzypcami, a w wypadku większej ilości kruszcu – ze złotym fortepianem. Ale wujek Janek chyba wiedział najlepiej.

Muzyka płynąca do mnie z radia była więc mieszanką melodii ludowych i ocalałych z filtra ludowo-komunistycznej estetyki elementów muzyki rozrywkowej. Takie pojęcia jak swing czy jazz były przed 1956 rokiem wyklęte i co odważniejsi muzycy musieli kamuflować swoje prawdziwe zainteresowania muzyczne, aby nie narazić się na nieprzyjemności. Pamiętam również, że jednym z moich ulubionych muzyków był, dziś powiedzielibyśmy, klawiszowiec, niejaki Benon Hardy, grający na „organach kinowych”. Do dzisiaj nie wiem, co to są „organy kinowe”, ale w każdej chwili jestem w stanie przywołać ich dźwięk. I za każdym razem, kiedy to robię, upewniam się, że były to po prostu niezwykle rzadkie wówczas w Polsce organy Hammonda. Może „Hammond” brzmiał wówczas niesłusznie?

Moje radio AGA wydawało z siebie nie tylko dźwięki muzyczne, ale także słowo. To słowo było przesiąknięte nierozpoznawalną dla mnie wówczas propagandą systemu. Pamiętam szczekliwy głos anonsujący *Falę 49*, która po przełomie przerodziła się w „falę 56”. Najdobitniej jednak utkwiła mi w głowie kuriozalna radiowa transmisja ze śmierci Józefa Stalina w 1953 roku. Ociekający żalem głos z radia wieścił coś jakby koniec świata i pamiętam, że ze strachu schowałem się pod stojącą w przedpokoju maszynę do szycia. Na szczęście maszyna mnie ochroniła i koniec świata nie nadszedł.

Wspomniany wujek Janek próbował na swój sposób bronić mnie przed propagandowymi ekscesami radiowymi. Kiedy zapytałem go, co oznacza fragment jednej z audycji, w której tłum ludzi skandował: „Bie-rut, Bie-rut, Bie-rut!”, wujek wyjaśnił mi, że po prostu nieważnie słucham radia i ci ludzie w rzeczywistości krzyczą: „ko-gut, ko-gut, ko-gut!”. Dziś wiem, że tylko moja dyskrecja uchroniła wujka Janka przed aresztowaniem.

Ale wróćmy do muzyki. Po 1956 roku moje radio, tak jak i cały kraj, ożyło. Pojawiły się piosenki w żywszych rytmach, Maria Koterbska nie-prawomyślnie swingowała, a Natasza Zylska posunęła się tak daleko, że nagrała kompozycję Billa Haleya. Miała ona co prawda polskie słowa, ale muzycznie niebezpiecznie trąciła rock and rollem.

Jeśli chodzi o rock and rolla, to w moich wspomnieniach człowiekiem, który zdecydował się z otwartą przyłbicą zaprezentować go polskim słu-chaczom, był niezapomniany odtwórca *Cichej wody* Zbigniew Kurtycz. Jego *Arizona* nie tylko była rock and rollem w warstwie muzycznej, ale też w tekście pojawiało się sformułowanie „rock and roll". Miałem tę płytę. Był to czarny, duży i ciężki singiel, który wymagał odtwarzania z szybkością 78 obrotów na minutę. W tamtych czasach dużo było jeszcze staromod-nych czarnych, tłukących się płyt na 78 obrotów. Kiedyś do ich odtworze-nia używano nakręcanych korbką gramofonów z metalową igłą.

W latach mojej młodości postęp techniczny spowodował, że otrzyma-łem w prezencie od rodziców gramofon elektryczny typu deck. W odróż-nieniu od karolinki, która miała własny wzmacniacz i przykręcony do po-krywy głośnik, mój deck można było usłyszeć przez radio po włożeniu do odpowiednich dziurek dwóch wtyczek typu bananki. To była dziwna na-zwa, ponieważ taka wtyczka to był zwyczajny prosty pręcik/sztyfcik wy-stający z plastikowej obudowy, a wszystkie inne znane mi bananki były zakrzywione. W tamtych czasach sporo było też innych dziwnych rzeczy, na przykład rocznicę rosyjskiej rewolucji październikowej obchodziło się w listopadzie, więc prosty bananek to przy tym małe miki. Pamiętam rów-nież, że rodzina gramofonów, z której pochodził również i mój, miała moż-liwość odtwarzania płyt w trzech szybkościach: 33 ⅓, 45, 78, przy czym były do wyboru dwie igły oznaczone kolorami czerwonym i zielonym. Pan Kurtycz śpiewał za pomocą igły zielonej.

W związku z tym, że Polskie Radio pomalutku zaczęło prezentować nagra-nia z importu – i to nie tylko z krajów demokracji ludowej – moja wiedza na temat muzyki stopniowo się powiększała, a wraz z nią rosła ciekawość. Pamiętam, jak wstrząsające wrażenie zrobiło na mnie pierwsze w życiu wysłuchanie piosenki Louisa Armstronga. Niestety oferta, którą dysponowały sklepy muzyczne i księgarnie – bo płyty wówczas kupowało się w sklepach z instrumentami muzycznymi albo z książkami – nie obejmowała aż tak awangardowych pozycji jak te z muzyką Armstronga. Chociaż nie! Polskie Nagrania czy inny Pronit ośmieliły się wszak wypuścić średniej wielkości płytkę z nagraniami wielkiego Satchmo i wraz z moim ojcem zajeżdżaliśmy tę płytę, wsłuchując się w trąbkę i głos Mistrza (33 ⅓ obrotów na minutę). Takich prezentów rodzima fonografia robiła melomanom niestety bardzo mało.

Nieco później, kiedy już wiedziałem, że muzyka będzie moim poważnym hobby, w sukurs przyszedł mi rachityczny, ale jednak istniejący import płyt. Dopóki nasza władza nie obraziła się na Izrael, można było wyszperać w Klubach Międzynarodowej Prasy i Książki (protoplasta EMPiK-u) sprowadzane z Izraela płyty z wytwórni, jeśli dobrze pamiętam, Hed Arzi. Dzięki temu importowi i własnej czujności stałem się posiadaczem krążków nagranych przez kwartet The Platters oraz Paula Ankę. Byłem w szóstym niebie. Siódme zarezerwowane było dla oryginalnych amerykańskich i angielskich płyt, ale te przez długie lata zdobywało się nieoficjalnie, sposobami chałupniczymi.

Moją pierwszą prawdziwą amerykańską płytą był singiel Elvisa Presleya. Z jednej strony nagrana na nim była piosenka *Blue Moon*, a z drugiej *Just Because*. Płyta miała tak zwaną dużą dziurę, więc aby ją odtworzyć w sposób właściwy, trzeba było dysponować albo specjalnym krążkiem, który umieszczało się na ośce talerza gramofonu, albo też plastikowymi wkładkami, które umiejętnie wciskało się w otwór płyty. Znałem każdą rysę i każdą literkę na moim Presleyu, a że w chwili kupna płyta była już sporo używana (zapłaciłem za nią pięćdziesiąt złotych), w niedługim czasie od bezustannego odtwarzania z czarnej stała się niemal biała.

Taki stan gramofonowych rarytasów wcale nas jednak nie zniechęcał. Znaliśmy różne sposoby na odmłodzenie naszych płyt, a w wypadkach skrajnych na spowodowanie przynajmniej jednorazowego odtworzenia, aby – o, wstydzie! – takiego nieboszczyka wepchnąć za jakieś pieniądze innemu naiwniakowi. Dzisiaj winylami zajmują się prawdziwi kolekcjonerzy, którzy są ludźmi na wskroś uczciwymi i obce im są jakiekolwiek niegodne praktyki. Moje niegdysiejsze zabiegi powodujące chwilowe zmartwychwstawanie płyt to już tylko godna napiętnowania historia.

Jak wspomniałem, płyty ostro zgrane nabywały charakterystycznego białawego koloru. W celu uzyskania gwarantującej zainteresowanie kupującego połyskliwej czerni należało część grającą nasmarować czymś tłustym. Nie mogły to być mazie koloryzujące ani silnie zapachowe, gdyż były łatwe do zdemaskowania. Wchodziły w grę bezbarwne wazeliny, a także, w skrajnych wypadkach, masło lub smalec. Po dokładnym rozprowadzeniu powierzchnia płyty błyszczała się jak psu oczy i robiła wrażenie nieużywanej. Dodam, że z tłuszczami organicznymi należało postępować ostrożnie, gdyż nie do wszystkiego się nadawały.

Boleśnie przekonał się o tym mój znajomy, który nierozważnie pożyczył mi drogocenny magnetofon szpulowy marki wschodnioniemieckiej. Magnetofon ten miałem na krótko, więc używałem go intensywnie. Jego niedoskonała konstrukcja spowodowała, że zaczął lekko klinować na kołkach prowadzących. Muzyka brzmiała fałszywie, jakby nierówno, co mi się zdecydowanie nie podobało. Chcąc przywrócić aparaturze zwinność, dość dokładnie wysmarowałem wszystkie części ruchome masłem eksportowym. Niestety, właśnie dzięki ruchowi nasmarowanych części i generowanemu przy okazji tarciu, masło pod wpływem temperatury trochę się zwęgliło. Ruchome części przestały się ruszać i nie było już słychać żadnej muzyki.

Wróćmy jednak do płyt. Lśniący album mógł zwieść amatora, ale ci bardziej dociekliwi chcieli jeszcze posłuchać, czy płyta dobrze gra. Był sposób pozwalający na jednorazowe w miarę przyzwoite jej odtworzenie. Otóż na moment przed położeniem płyty na talerzu gramofonu należało lekko pociągnąć jej powierzchnię wodą. W jakiś magiczny sposób ha dwa o eliminowało szumy i trzaski, tworząc złudzenie, że mamy do czynienia z prawie nówką.

Z płytami wygiętymi postępowało się inaczej. Barbarzyńcy usiłowali prasować je żelazkiem. Najczęściej kończyło się to zaprasowaniem rowków i było po balu. Nieco większe szanse dawało włożenie winyla między dwie szyby i pozostawienie go w nasłonecznionym miejscu pod baczną kontrolą. Tym sposobem udało mi się naprostować jednego Cliffa Richarda, który przedtem leżał trochę za blisko kaloryfera.

Doskonale pamiętam inny, też przejściowo należący do mnie, longplay Pata Boone'a, który był w tak złym stanie, że po umieszczeniu ramienia gramofonu na brzegu ramię owo zjeżdżało natychmiast do nalepki, nie odtwarzając ani jednej nutki. Z dumą mogę powiedzieć, że sprzedałem tę płytę, a nabywca dzięki niektórym wyżej wspomnianym zabiegom wysłuchał z zachwytem wszystkich nagranych na niej piosenek pierwszy i ostatni raz w życiu.

Inną sensację fonograficzną miłośnicy muzyki zawdzięczali Fidelowi Castro. Po obaleniu upiornej dyktatury złych ludzi lud kubański wraz z władzą przejął między innymi tamtejszą tłocznię płyt. Tak się szczęśliwe złożyło, że tłocznia owa zachowała niezniszczone matryce kubańskiej edycji znakomitego longplaya Elvisa Presleya *Elvis Is Back*. Co prawda jakość okładki była o wiele marniejsza od oryginału, sama płyta gorzej wytłoczona od amerykańskiego pierwowzoru, a tytuł zmieniony na *Elvis regresa*, jednak był to prawdziwy rarytas. W wyniku rozliczeń między Polską a Kubą obok pryszczatych pastewnych pomarańczy, papierosów Ligeros i rumu Havana nasz rynek otrzymał pewną partię *Regresy*. Wobec czarnorynkowych cen zachodnich płyt długogrających, które oscylowały w granicach od trzystu do pięciuset złotych, państwowa cena tego wydawnictwa, chyba około złotych stu, była rewelacją.

Elvis był zresztą jednym z moich ulubionych wykonawców, choć w czasach kiedy zacząłem się fascynować muzyką, był już troszeczkę *démodé*. Gwiazdy rock and rolla lat pięćdziesiątych oddawały już pole młodym Brytyjczykom z gitarami. Ale Elvis, w swoim wcześniejszym, nieotyłym

Marzec 1958 –
dziewczęta
pokazują
Elvisowi datę
rozpoczęcia
jego służby
wojskowej

i niezłotemhaftowanym wcieleniu, niezmiennie czarował mnie swoim głosem. A przy piosence *Heartbreak Hotel* chyba nawet upodobniałem się do Presleya. Dostawałem magicznych oczu, przez trzy minuty biła ze mnie przepełniona niezwykłymi fluidami energia i najbardziej niedostępne kobiety wyraźnie wówczas słabły. Niestety, gdy Elvis przestawał śpiewać, czar pryskał.

Moja wielka miłość do muzyki zawsze miała raczej charakter bierny. Historia światowej kultury powinna jednak odnotować pewien incydent, który miał miejsce w pierwszej połowie lat sześćdziesiątych. Otóż zupełnie niespodziewanie zechciałem przejść ze stanu biernego w czynny. Śpiew raczej nie wchodził w grę. Co prawda na lekcjach śpiewu w szkole nauczyciel wkładał wiele wysiłku, aby uzyskać ode mnie czysty ton, stając tuż obok mnie ze skrzypcami, ale podejrzewam, że nawet gdyby otaczała nas wielka orkiestra symfoniczna, to popsułbym jej szyki. Dygresyjnie powiem, że w końcu zaliczyłem ten cholerny śpiew, wykonując brawurowo ludową pieśń *Zielony mosteczek*. Stres był tak potworny, że do dziś pamiętam słowa, choć ich nie rozumiem. Zaczynało się tak:

Zielony mosteczek ugina się,
Zielony mosteczek ugina się,
Trawka na nim rośnie, nie sieka się,
Trawka na nim rośnie, nie sieka się.

Nie bardzo wiedziałem, czemu trawka się nie sieka, ale śpiewałem zapamiętale dalej:

Gdybym ja ten mostek arendował,
Tobym go wyplenił, wytręgował.

W życiu niczego nie tręgowałem, bo nie wiem, jak to się robi… Potem jeszcze chyba było:

Czerwone i białe róże sadził,
I ciebie, dziewczyno, odprowadził,
Odprowadziłbym cię aż do lasa,
A potem zawołał hop sa sa sa.

Najlepiej wychodziło mi „hop sa sa sa", ale to i tak nie zmieniło mojej krótkiej i nieudanej historii jako wokalisty.

Potem przyszedł saksofon. Saksofon był dla mnie instrumentem szalenie męskim i trochę kosmicznym. Zarówno dźwięk (szczególnie tenorowy), jak i liczba klapek oraz połysk imponowały mi niesłychanie. Czułem, że gdybym wystąpił publicznie z saksofonem, nie oparłaby mi się żadna kobieta. Niestety w tamtych latach podaż saksofonów była bardzo niewielka, a ich cena prohibicyjna.

Naturalną koleją rzeczy pomyślałem o gitarze. Mama, mimo sporej wiedzy na temat muzykalności swego syna, postanowiła zaryzykować i wyciągnąwszy z bieliźniarki odłożone na czarną godzinę pięćset złotych, kupiła mi gitarę akustyczną krajowej produkcji oraz stosowny podręcznik. Podręcznik był za gruby, więc szybko z niego zrezygnowałem. Zacząłem ćwiczyć prostsze melodie ze słuchu, co nie było łatwe, gdyż nie umiałem tej gitary nastroić. Szczytowym osiągnięciem było zagranie przeze mnie na jednej strunie piosenki *Mój pierwszy bal* (oczywiście tylko refrenu). A także paru tak zwanych chwytów, które miały tajemnicze nazwy typu C-7 albo G-8. Do dzisiaj nie wiem, o co chodzi z tymi nazwami. Grałem jednak stosunkowo niedługo, gdyż instrument był dość toporny, odległość strun od gryfu ogromna, a co za tym idzie, moje chłopięce paluszki (głównie lewa rączka) były nieźle pokiereszowane i zbolałe. Gitara wylądowała w wersalce razem z nadziejami na wielką karierę. Clapton mógł spokojnie się rozwijać.

Uczucie ulgi, że nie muszę ćwiczyć ani śpiewać, towarzyszyło mi niestety dość krótko. Mama, nie chcąc, żebym się stoczył, szukała dla mnie różnych zajęć dodatkowych. Jednym z pomysłów było zapisanie mnie do harcerskiego zespołu artystycznego Gawęda. Gawęda robiła dokładnie wszystko to, czego ja nie znosiłem i nie umiałem robić: tańczyła, grała i śpiewała. Szefował jej druh Andrzej Kieruzalski, człowiek wielu talentów i wielkiej pasji. Uczył zapatrzonych w niego podopiecznych innej niż panująca wokół estetyki. Wszystko było bardziej kolorowe, pogodne i wymykające się socjalistycznej bylejakości. Godny podziwu miał nawet odręczny podpis – przypominał pierwiastek ($\sqrt{}$) i tak mi imponował, że przez jeden sezon też się podpisywałem pierwiastkiem, tyle że dużo bardziej koślawym.

W Gawędzie był obok harcerstwa i teatr lalek, i śpiew, i taniec, i dużo bardzo ładnych dziewczyn, a także prawdziwe występy przed publicznością.

Mimo iż sam Kieruzalski grał na obciachowym akordeonie, to nie zwalczał rock and rolla. Podczas naszych występów najbardziej przeżywałem instrumentalną wersję prawdziwego przeboju Paula Anki *You Are My Destiny*, graną przejmująco na trąbce przez druha Włodka. Poddany testowi wokalnemu przez Andrzeja Kieruzalskiego, już po paru minutach zostałem przeniesiony do ostatnich rzędów chóru z prośbą, żebym raczej tylko otwierał usta i nie męczył się śpiewem. Podobnie było z moim udziałem w ciekawych układach tanecznych. Mimo braku efektownych partii solowych atmosfera panująca w zespole spowodowała, że spędziłem w Gawędzie kilka przyjemnych lat jako *quasi*-harcerz i element „tłumu scenicznego".

Wziąłem nawet udział w profesjonalnej sesji fotograficznej, dzięki której mogłem stać się międzynarodową gwiazdą. Autorem zdjęć był późniejszy słynny fotograf Marek A. Karewicz. Marek stał się mistrzem fotografowania muzyki, ze szczególnym uwzględnieniem jazzu i rocka. Uwieczniał na swoich zdjęciach największe światowe gwiazdy. Ponadto projektował setki

Efekt karygodnych manipulacji Karewicza, czyli ja z klarnetem. Dzisiaj wystarczyłoby pomajstrować w Photoshopie i już. Dopiero bym był *cool*! A tak wstyd na zawsze poszedł w świat

świetnych okładek płytowych, między innymi tę zespołu Breakout, na której Tadeusz Nalepa idzie, trzymając za rękę swego małego synka. Niestety, wszelkie artystyczne zasługi Karewicza bledną przy krzywdzie, którą wyrządził mi, aranżując wspomnianą sesję. Liczyłem, że choćby na zdjęciu będę mógł wystąpić z moim wymarzonym saksofonem. Karewiczowi najwyraźniej coś się nie komponowało, bo pozbawił mnie tego przepięknego rekwizytu i wetknął mi do ręki (co za kompromitacja!) klarnet. Ani moje kupione na ciuchach oryginalne amerykańskie jeansy, ani wówczas jeszcze gibka figura typowego saksofonisty nie zrekompensowały wstydu wynikającego z klarnetu. Powiedzmy sobie szczerze: Karewicz był złym człowiekiem.

Z racji przynależności do zespołu odbyłem z nim coś, co można nawet nazwać trasą koncertową po Polsce. Była ona niezwykle oryginalna, ponieważ środkiem transportu był wynajęty wagon kolejowy. Zależnie od zaplanowanego w danym dniu kierunku doczepiany był do odpowiedniego składu i dowoził nas bezproblemowo do miejsca przeznaczenia. Nie będę ukrywał – ten wagon to był wagon towarowy, więc daleko mu było do Orient Expressu. Spaliśmy na składanych łóżkach, myliśmy się pod pompą na torach albo – słowo honoru! – w prawdziwej kolejowej łaźni z witkami do smagania, bo na taką gdzieś natrafiliśmy. Mimo skromnych warunków zabawa była doskonała i pełna przygód. A ile było emocji, gdy kontrabasista druh Adam bardzo silnie dał w dziób podpitemu tubylcowi, który przystawiał się namolnie do jednej z naszych dziewczyn!

Od takich wyjazdów atrakcyjniejsze były tylko z rzadka zdarzające się w tamtych czasach wypady zagraniczne, niektóre nawet do drugiej strefy płatniczej – tak władza ludowa nazywała kraje, w których żyło się normalnie. Niestety, na żaden nie udało mi się już załapać. Nie pojechałem za granicę, ale za to w Gawędzie nauczyłem się palić papierosy. Konkretnie: dość obrzydliwe mentolowe zefiry. Było mi po nich jeszcze bardziej niedobrze niż po normalnych. Miało to miejsce w okolicach toalety męskiej w Pałacu Młodzieży PKiN. Mógłbym nawet podać nazwiska druhów, którzy pytali mnie, czy się boję zaciągnąć. Bałem się nie tyle samego zaciągania, ile zawartej w tytoniu mentolowości. Jak głosiła szeroko rozpowszechniana plotka, papierosy mentolowe fatalnie wpływały na męską potencję, a nie ukrywam, że bardzo mi na niej zależało.

Pod koniec pobytu w tej artystycznej drużynie harcerskiej poza umiejętnością palenia zdobyłem jeszcze trzy inne sprawności: lalkarza, kuchcika i (nie mam pojęcia, jak do tego doszło) lekkiej stopy. Mimo mojego zainteresowania piosenką nie zdobyłem żadnej sprawności związanej z muzyką. Zostało mi tylko zdjęcie z klarnetem.

Pięć odbiorników radiowych mego życia

1. Wspomniana w tekście AGA na szwedzkiej licencji. Dzięki niej po raz pierwszy usłyszałem Radio Luxembourg.

2. Szarotka – cud polskiej (a trochę i niepolskiej, bo licencja) techniki lat pięćdziesiątych. Przenośne lampowe radyjko, które moja Mama w napadzie urlopowego szału zakupowego nabyła za gotówkę podczas zimowiska w Zakopanem. Szarotka jest przyczyną, dla której przestałem jeździć na nartach. Bałem się, że mi wpadnie w śnieg.

3. Tranzystorowe radio Koliber (wczesne lata sześćdziesiąte) raczej piszczało, niż grało, ale dało się nosić w ręku na spacerze, podkreślając światowość noszącego. Robiło duże wrażenie na deptakach całego kraju. Człowiek niosący radio był raczej *cool*, w przeciwieństwie do gości, którzy szli z dziewczynami i nieśli im torebki.

4. Radio Karioka. Moja duma! Duże pudło, gałki, klawisze, trzy (!) głośniki i UKF. Marzenie! Gdy już się bardzo zestarzało, zrobiłem z niego kolumnę głośnikową (przypominam: trzy głośniki).

5. Wtajemniczeni wiedzą, o co chodzi. Wieść niosła się po kraju, że mimo nieprzyjemnego radzieckiego rodowodu produkowane na Litwie **radio Spidola** rewelacyjnie odbierało audycje Wolnej Europy, omijając szczycące się takim samym rodowodem urządzenia zagłuszające. Zawsze było wiadomo, że swój pozna swego.

Podsłuchiwanie
przez ścianę
(a właściwie
żelazną kurtynę)

Polskie Radio we wczesnych latach sześćdziesiątych bardzo powoli otwierało się na muzyczne mody Zachodu.

Przyczyn można by wymieniać wiele, ale wszystkie miały źródło w systemie powszechnej szczęśliwości, który spowodował, że imperialiści i podżegacze wojenni zaciągnęli między nami a wolnym światem żelazną kurtynę. Zachodnie przeboje, jeśli już docierały do polskiego słuchacza, podlegały selekcji. Najbardziej wrogie i niebezpieczne było wszystko, co trąciło językiem angielskim. Oczywiście jeszcze groźniejsze i bardziej nieprzyjazne były pieśni śpiewane po zachodnioniemiecku, ale tamtejsza twórczość rozrywkowa była równie poetycka i porywająca jak działania Luftwaffe. Z kolei piosenki śpiewane w języku wschodnioniemieckim chętniej puszczano, ale były też jeszcze okropniejsze od tych z NRF-u. Tak więc czujni redaktorzy przede wszystkim blokowali angielszczyznę.

Trafiały się oczywiście wyjątki. Akceptowano na przykład twórczość Paula Robesona, ponieważ był reprezentantem ciemiężonej i poniżonej w USA czarnoskórej mniejszości. Ewenementem była również nieprawdopodobna kariera Amerykanina Deana Reeda. Ten utalentowany i przepiękny na twarzy piosenkarz i aktor zrozumiał, że kapitalizm napawa go obrzydzeniem, i stał się ukochaną gwiazdą komunistów. Najpierw odnosił znaczące sukcesy w Ameryce Południowej, w Chile, Argentynie i Peru. Po przyjeździe do Europy uwił sobie komfortowe gniazdko w NRD, gdzie opływał we wszelkie luksusy, z własnym wartburgiem włącznie. Kolegował się

Piękny Dean Reed pięknie śpiewa o wyższości sojuszu robotniczo--chłopskiego na tle pięknego wschodnio-niemieckiego młota z Fidelem Castro, podejmowany i pieszczony był w samej Moskwie. Jego publiczne wypowiedzi zachwalające mur berliński czy pozytywnie oceniające radziecką obecność w Afganistanie zapewniały mu przychylność komunistów. Zyskał sobie nawet przydomek „Czerwony Elvis", choć tak naprawdę zasłużył jedynie na jego pierwszy człon. Był jedynym, w związku z tym szczególnie cennym, dowodem wyższości demokracji ludowych. Niestety dla ulubieńca RWPG, marnie i tajemniczo skończył się jego żywot. W 1986 roku ciało Deana Reeda odnaleziono w jeziorze Zeuthener niedaleko jego domu we wschodnim Berlinie. Do dziś nie ma pewności, czy był to nieszczęśliwy wypadek, samobójstwo, czy pomoc osób trzecich. Nie wiadomo też na pewno, czy pracował dla CIA, KGB, czy Stasi, choć wszelkie kombinacje tych instytucji są prawdopodobne.

O wiele łatwiej mieli Włosi i Francuzi. Bez kłopotów można było słuchać w naszym radiu francuskich gwiazd, na przykład Dalidy, Edith Piaf, Charles'a Aznavoura czy Yves Montanda. Trochę pochopnie wrzucam wszystkich tych artystów do jednego worka, ale przecież mówimy tu o ideologii, a nie o podziale na gatunki muzyczne. Edith Piaf ze swoimi dramatycznymi pieśniami i dopisaną do jej osoby opowieścią o trudnych warunkach życiowych i braku magnackiego pochodzenia całkowicie mieściła się w kategoriach dopuszczalnych przez moralność socjalistyczną. Charles Aznavour też był niegroźny, bo nie dość, że mikrego wzrostu, to w dodatku jako Ormianin miał swoje korzenie w okolicach Związku Radzieckiego. Dalida była trochę za ładna, ale jeśli wziąć pod uwagę fakt, że urodziła się w Egipcie, miała plus jako niestuprocentowa przedstawicielka francuskiego imperializmu i być może nawet przez pewien czas była uciśniona. Wszyscy ci artyści śpiewali piosenki niezbyt buntownicze, melodyjne i do tego o heteroseksualnej miłości, czyli w pełni akceptowalne. Zdrajcą okazał się jedynie Yves Montand. Ten zły i fałszywy człowiek po latach bardzo zawiódł towarzyszy z kierownictwa, popierając Solidarność. Można się było zresztą wcześniej tego spodziewać, skoro jego prawdziwe nazwisko brzmiało zupełnie inaczej niż sceniczne, ale odpowiednim organom zabrakło czujności.

Podsłuchi-
wanie przez
ścianę
(a właściwie
żelazną
kurtynę)

29

Charles Azna-
vour zupełnie
nie wygląda
na załamane-
go faktem, iż
musi jeździć
kabrioletem
po La Croisette
w Cannes,
zamiast śpie-
wać na tle
młota albo
i sierpa.
Twardziel

Jeśli chodzi o Włochów, to również mieliśmy możność zapoznania się z piosenkami Domenico Modugno, Adriano Celentano, Freda Buscaglione, Milvy. Tu czaiło się już pewne niebezpieczeństwo. Adriano Celentano niby śpiewał po włosku, ale najwyraźniej pozostawał pod wpływem stylistyki amerykańskiej i nawet ośmielał się śpiewać po angielsku. Jeszcze bardziej niebezpieczny był Fred Buscaglione, wystylizowany na osobnika mające-go związki z mafią, uwielbiał piosenki, w których słychać było wystrzały, pisk opon i dramatyczne wyznania. On również nie stronił od angielsz-czyzny (jak choćby o miłości w Portofino), ale jego włoskość zapewniła mu obecność w polskich mediach. Krążyła na jego temat legenda, mówiąca, że miał rzeczywiście jakieś konszachty czy zatargi z mafią, podejrzewam jednak, że gdyby tak było naprawdę, to jego kariera trwałaby o wiele krócej.

Na koniec zostawiłem sobie bardzo szczególną włoską osobistość muzyczną – samego Marino Mariniego. Podziwiałem go nie tylko za to, że był prawdziwym Włochem, ale przede wszystkim dlatego, że jako jeden z nielicznych nieanglosaskich wykonawców trafił ze swoimi piosenkami na angielską listę przebojów. Marino Marini był zresztą pierwszą prawdziwą, żywą gwiazdą piosenki, którą w 1962 roku na własne oczy zobaczyłem podczas koncertu. Zawdzięczam to mojej Mamie, która pokonawszy różne obawy, śmiało wkroczyła w tłum kłębiący się przed kasami SPATiF-u w Alejach Jerozolimskich, aby w końcu wynurzyć się z dwoma biletami na koncert Mariniego w Sali Kongresowej. Wrażenie było wstrząsające. Marini przedstawił swoje (i nie tylko) największe przeboje. Była więc *La piu bella del mondo*, *Marina*, a także *Come prima*, *Piove*, *Kriminal tango* (w którym szczególnie lubiłem słowa „*bella pupa*"), a także bardzo dynamiczny kawałek *Ventiquattromila baci* z repertuaru wspomnianego Adriano Celentano. Marino grał na fortepianie, śpiewał, gadał do publiczności, prezentował członków zespołu, ze szczególnym uwzględnieniem cudnej piękności Vito, i w ogóle był bardzo przyjemny. Co najważniejsze, zaprezentował osłupiałej warszawskiej publiczności prawdziwą gitarę elektryczną wraz ze zrobionym przez siebie wzmacniaczem o potwornej mocy, chyba nawet dwadzieścia watów. Przez cały koncert przebywałem w zupełnie innym świecie i kiedy wyszedłem przed Pałac Kultury, mimowolnie poruszałem się, mówiłem i myślałem jak Marino Marini.

Mimo tego wszystkiego ciągle jeszcze było mi mało. Chciałem obcować z tą muzyką na co dzień, a nie tylko od święta. Pomogło mi odkrycie Radia Luxembourg. Owszem, wiedziałem o takich stacjach jak AFN (American Forces Network), nadających na terenie zachodnich Niemiec audycje dla stacjonujących tam żołnierzy amerykańskich, ale w związku z tym, że nie byłem żołnierzem amerykańskim i mieszkałem na Powiślu, odbiór był bardzo marny. Podobnie było z innymi, na przykład pirackimi stacjami takimi jak Caroline. To było marzenie każdego zbuntowanego i marzącego o pełnej swobodzie radiowca. Nadajnik i studio umieszczono na znajdującym się na wodach eksterytorialnych statku, tym samym unikając jakichkolwiek ingerencji ze strony oficjalnych czynników, którym istnienie radia było nie na rękę. Jedynym skutecznym sposobem uciszenia takiego pirata wydawał się abordaż, co jednak w cywilizowanym świecie nie było powszechnie stosowane. Autorzy pirackich programów nadawali i mówili, co tylko chcieli, drażniąc angielski establishment i drwiąc sobie z ograniczeń, jakim podlegała na przykład BBC. Widząc popularność piratów, reklamodawcy nie wahali się i chętnie nawiązywali ze stacją współpracę, tym samym zapewniając dopływ koniecznych do prowadzenia działalności funduszy. Zachwycony samą ideą zupełnie wolnego rockandrollowego radia, słuchałbym ich przez całą dobę. Niestety jakość odbioru ich nadajnika w Polsce była mizerna.

Radio Luxembourg jakimś cudem docierało do Polski z dość przyzwoitym sygnałem. Przyzwoitą jakość rozumiem tak, że wśród szumów, pisków, świstów można było rozróżnić melodię, a nawet usłyszeć zapowiedź. Poza tym Luxembourg nadawał zarówno na falach średnich (208 metrów), jak i krótkich (49,6 metra). Tam rozciągał się ocean muzyki, o jakiej marzyłem. Wstrząsająca była nie tylko różnica repertuarowa, ale również sposób prowadzenia programów, wzorowany na stacjach amerykańskich. Jeżeli ktoś przyzwyczajony był do statecznego i niespiesznego tonu i rytmu Polskiego Radia, to pierwszy kontakt z Luxembourgiem musiał być dla niego szokiem. Europa w ogóle nie znała amerykańskiego stylu radiowego, polegającego na bardzo dużej dawce energii, szybkich zapowiedziach i dużym tempie całego programu.

Wielką gwiazdą był importowany z Kalifornii disc jockey Mike Pasternak, znany jako „Emperor Rosko". Występował najpierw w Caroline, a później w Radiu Luxembourg, demonstrując dynamiczny amerykański sposób prowadzenia programu. Anglicy wkrótce zaczęli łapać ten rytm i na miejsce ubranych w garnitury i spokojnie oraz wyraźnie mówiących spikerów zaczęli wchodzić lekko zwariowani szybkostrzelni DJ-e. Taki na przykład Jimmy Savile, dziś już sir James Wilson Vincent Savile, legenda

Podsłuchi-
wanie przez
ścianę
(a właściwie
żelazną
kurtynę)

3 2

brytyjskiego radia muzycznego, już w latach sześćdziesiątych miał białe
włosy, na które niemal pół wieku później zdecydował się pan Rubik. Savile
uwielbiał wygłupy, robił sobie zwariowane zdjęcia do prasy, a nawet star-
tował w walkach zapaśniczych, maratonie i innych wymagających dobrej
kondycji przedsięwzięciach. Kwintesencją jednak jego osobowości były
bardzo energicznie prowadzone programy radiowe.

Siedziałem przy odbiorniku z głową niemal wepchniętą w głośnik i chłonąłem wszystko. Piosenki, tytuły, informacje o wykonawcach, nowych

Podsłuchi-
wanie przez
ścianę
(a właściwie
żelazną
kurtynę)

----------- 33

Zwariowany
Jimmy Savile
w kapeluszu
na tlenionych
lokach, zupeł-
nie niezrażony
brakiem gór-
nej czwórki

płytach, język, wszystkie – nawet strzępki – wiadomości. Ukoronowaniem moich wieczorów z Luxembourgiem było dźwiękowe wydanie *Top Twenty*, czyli dwudziestki najpopularniejszych piosenek tygodnia. Prowadził to obdarzony fantastycznym, lekko nosowym głosem Australijczyk Barry Alldis. Tak naprawdę nie robiło mi wówczas różnicy to, czy dana piosenka była szybka, wolna, wesoła, smutna, z gitarami czy z orkiestrą – jej obecność na liście wystarczała, bym był nią zachwycony. Ten bezkrytyczny stosunek do utworów na liście na szczęście nie trwał u mnie zbyt długo. Jako prawidłowo rozwijający się młody człowiek zacząłem odróżniać te piosenki, które mi się podobają, od tych, które podobały mi się mniej albo całkiem nie. Ale podobnie jak wielu moich kolegów, prowadziłem zeszyt z notowaniami Luxembourga i śledziłem ruchy poszczególnych tytułów na liście z taką samą uwagą, z jaką dziś obserwuje się notowania giełdowe. Dzięki tej magicznej szumiącej stacji miałem wrażenie, że jestem obywatelem świata.

Pięć audycji radiowych mojej młodości

1. *Błękitna sztafeta* – nie wiem, co to było, ale pamiętam tytuł. Na początku chyba były trąbki.

----

2. Jerzy Wasowski czytający w radiu Kiplinga – to chyba audycja.

----

3. *Matysiakowie* – zimą 1956 roku wysłuchałem pierwszego odcinka i byłem potwornie dumny, ponieważ Matysiakowie mieszkali na Powiślu przy mojej ulicy – Dobrej. Dziwne, że nigdy ich tam nie spotkałem.

----

4. *Muzyka i aktualności* (aktualności miałem w nosie – ważne było to, co wybierze Malina Zasadzińska).

----

5. Radio Luxembourg – wszystko, a i tak za mało.

W Polskim Radiu pomału zaczynały pojawiać się audycje, w których można było usłyszeć niebezpiecznych artystów. W Rzeszowie nadawał Ryszard Ataman. Prowadził dwie audycje „w rytmie big-beatu", nadawane przez Polskie Radio Rzeszów na fali 200 metrów. Były to *Parada gwiazd* i *Gwiazdy z płytoteki Ryszarda*, nadawane niestety tylko lokalnie, więc Ryszard Ataman był dla mnie bardziej legendą niż realnym autorem. Każdy, kto w jakiś tajemniczy sposób zdołał zapewnić sobie dostęp do zachodnich płyt z muzyką rozrywkową, był obiektem mojego podziwu i uwielbienia. Ataman należał do tej ekskluzywnej, acz nielicznej grupy, jeszcze do tego dzielił się swoimi zdobyczami w publicznym radiu. Fakt, że była to rozgłośnia lokalna, wzmagał jeszcze tajemniczość tej postaci. Rozważałem nawet przeprowadzkę do Rzeszowa, ale rodzice uporczywie postanowili tkwić w Warszawie.

Pełną dostępnością natomiast cieszyła się *Rewia piosenek* Lucjana Kydryńskiego. Pan Lucjan pośród aprobowanych Włochów i Francuzów przemycał rodzynki, choćby takie jak nagrania Cliffa Richarda i Shadowsów. Miał niesamowitą lekkość radiowego bytu, a jego zapowiedzi poszczególnych piosenek i artystów zawierały wyczuwalną, acz niedopowiedzianą sugestię, że mówi o swoich dobrych znajomych. Życie pokazało, że niektóre z prezentowanych gwiazd rzeczywiście miał okazję poznać osobiście, prowadząc liczne koncerty i festiwale piosenki. *Rewia piosenek* była okienkiem na świat w dosyć drętwym Polskim Radiu.

Przełom nastąpił 1 kwietnia 1962 roku, kiedy to uruchomiono oficjalnie Program III Polskiego Radia. W Trójce nieobecnych gdzie indziej gwiazd piosenki było stosunkowo dużo. Nagle okazało się, że można w naszym radiu nadawać nowoczesną angielską i amerykańską muzykę rozrywkową bez obalania ustroju. Niestety UKF w początkowym okresie istnienia programu był rzadkością w dostępnych w Polsce odbiornikach, a i zasięg oraz jakość odbioru były bardzo mizerne. Pozostawała jeszcze Rozgłośnia Harcerska, która z racji słabego nadajnika i harcerskiego alibi nie podlegała zbyt surowej kontroli ideologicznej. Harcerze nadawali w powtarzających się blokach, więc jak się złapało coś ciekawego, to można było wysłuchać jeszcze powtórki.

Ja jednak byłem nienasycony. Chciałem mieć moje ulubione dźwięki na własność i nie być skazanym na kaprysy redaktorów. To silnie rozwinięte poczucie własności kazało mi szukać nowych rozwiązań. Kiedy bąknąłem coś o magnetofonie, mój ojciec popatrzył na mnie tak, jakbym zażądał, żeby się rzucił z okna. Niedostępność i cena takiego urządzenia powodowały, że łatwiej chyba byłoby mojemu ojcu kupić samochód Pabieda. Pozostawały płyty, ale nie bardzo wiedziałem, skąd je brać. Półśrodkiem były pocztówki dźwiękowe. Było to klasyczne piractwo, ale usprawiedliwiam je z uwagi na pożytki z niego płynące. Dzięki „prywaciarzom pocztówkowym" melomani mogli zaopatrywać się w substytuty prawdziwych płyt gramofonowych z ulubionym repertuarem.

Nieuświadomionym wyjaśniam, że pocztówki były nośnikami podłej jakości dźwięku zapisanego na tworzywie pokrywającym widokówkę albo wizerunek pięknego kwiatu. W środku była dziurka i po umieszczeniu na przykład Wawelu na talerzu gramofonu z głośnika chrypiał Elvis Presley. Kłopot pojawiał się w wypadku nowocześniejszych gramofonów, gdyż posiadały one urządzenie wyłączające mechanizm z chwilą, gdy ramię zbliżało się do środka płyty. Pocztówka, z racji swoich niewielkich rozmiarów, miała wytłoczoną piosenkę w miejscu, w którym normalna płyta już się kończy, więc niejednokrotnie Elvis Presley nie tylko rzęził, ale też w połowie utworu odmawiał współpracy. Dla zachowania prawdy historycznej muszę dodać, że obok klasycznych pocztówek dostępne były u niektórych producentów miękkie plastikowe płytki albo nawet chałupnicze longplayinki, które na twardym plastiku mieściły nawet dwie piosenki. Jeżeli prywatnie tłoczona płytka ulegała pewnemu zużyciu (po parunastu przesłuchaniach), można było ratować prywatkę, kładąc na ramieniu gramofonu jakiś ciężarek. Igła wówczas bardziej konsekwentnie ryła rowek, a wycieńczony Elvis raz jeszcze rzucał się do boju.

Podsłuchi-
wanie przez
ścianę
(a właściwie
żelazną
kurtynę)

3 6

Dziura w okolicach dwudziestego piętra Pałacu Kultury i Nauki wskazuje, że to nie błaha widokówka, ale prawdziwa POCZTÓWKA DŹWIĘKOWA. Bawi, grając, i gra, bawiąc

Prezes na cały świat

Moje zainteresowanie muzyką spowodowało, że – w dużej mierze pod moim wpływem – w liceum zaczęła tworzyć się grupa,

głównie chłopaków, podobnie jak ja zakręconych na punkcie rock and rolla. Wymienialiśmy się naszą skromną wiedzą, wrażeniami z nasłuchu Radia Luxembourg oraz opiniami o polskich i zagranicznych wykonawcach. W mojej klasie najbliższy pod względem zainteresowań był mi uczeń Andrzej Olechowski. Osobnik co prawda nieprzyjemnie wysoki, ale dość szybko porozumieliśmy się w wielu kluczowych sprawach i mimo różnicy wzrostu zostaliśmy przyjaciółmi. Andrzej, jak na późniejszego polityka przystało, wykazywał się godną podziwu pilnością, metodycznie prowadząc kronikę audycji *Top Twenty* i umieszczając w niej wszystkie kolejne notowania.

Nasze zainteresowania muzyczne postanowiliśmy pewnego dnia sformalizować. Tak narodziła się idea założenia klubu o dość nieokreślonych, ale związanych z muzyką celach. Zresztą ważniejsze od celów były początkowo stanowiska. Skoro wpadliśmy na pomysł utworzenia klubu równocześnie, nie mogło być mowy o jednoosobowym kierownictwie. Dwóch równorzędnych prezesów mogłoby jednak dezorientować członków organizacji, a także permanentnie wchodzić sobie w paradę. Doszliśmy więc do salomonowego rozwiązania, dzięki któremu Andrzej był prezesem na Polskę, a ja na świat.

Moja działalność światowa nie była wyłącznie papierowa. Robiłem klubowi piar (PR), zawiadamiając o jego istnieniu redakcje brytyjskich pism muzycznych i znane mi osoby mieszkające na Wyspach Brytyjskich. Największym sukcesem było pozyskanie wspomnianego wcześniej disc jockeya Jimmy'ego Savile'a jako członka honorowego naszego klubu. Nie ukrywam, że jedną z wielu atrakcji posiadania klubu była możliwość używania pieczątki. Chciałbym w tym miejscu przypomnieć, że w latach sześćdziesiątych demokracja ludowa i wytworzona przez nią zupełnie nowa klasa ludowych biurokratów żyły w permanentnym przeświadczeniu, że to wszystko, co nie ma pieczątki, jest nieważne, a nawet nie istnieje. Wymyśliliśmy więc z Andrzejem klub o bardzo niepolitycznej, bo brzmiącej z angielska nazwie Pops Fan Club. Jako że była to inicjatywa dzika i spontaniczna, wszystkie dalsze nasze działania szły drogą nieformalną, a tym samym nielegalną. To jeszcze bardziej motywowało nas do działania.

Efektem tych spontanicznych ruchów było nawiązanie kontaktu z Warszawskim Towarzystwem Muzycznym, którego władze, ujęte naszą

Dowód na to,
że żyłem nie
tylko muzyką.
W połowie
lat osiem-
dziesiątych
XX wieku zo-
stałem człon-
kiem honoro-
wym SKPiBNOL.
Skrót można
rozszyfrować,
badając uważ-
nie reproduk-
cję legitymacji

miłością do sztuki, udostępniły nam salę mieszczącą się w suterenie jednej z kamienic na Nowym Świecie. Było to miejsce bardzo prestiżowe, ponieważ w tych samych pomieszczeniach stawiał swe pierwsze kroki Maciej Zembaty, a nierzadko za ścianą próby odbywał znakomity kwartet wokalny NOVI. Zembaty miał po pierwsze bardzo gruby głos, a po drugie zamiłowanie do pisania i wykonywania piosenek makabresek, które podobnie jak rock and roll bardzo wyraźnie odróżniały się od staromodnej estetyki naszej estrady. Stąd też sąsiedztwo Macieja uważaliśmy za nobilitujące. Z kolei NOVI (New Original Vocal Instruments) to była ekstraklasa zajmująca się jazzem, czyli czymś, co my, zasłuchani w rock and rollu, ceniliśmy, choć nie rozumieliśmy. Niemniej i to sąsiedztwo utwierdzało nas w przekonaniu, że wybraliśmy właściwe miejsce.

Informacje o istnieniu naszego klubu rozchodziły się pocztą pantoflową, i to bardzo szybko, toteż w krótkim czasie na naszych spotkaniach gromadził się spory tłumek rockandrollowych melomanów. Na stołach pojawiały się prawdziwe zagraniczne płyty gramofonowe, a także zaczytywane na śmierć egzemplarze ówczesnej biblii wszystkich warszawskich fanów muzyki, angielskiego tygodnika „New Musical Express". Atmosfera była fantastyczna. Ludzie przynosili swoje skarby, aby się nimi pochwalić albo też by się nimi wymieniać. Jak na ówczesne czasy, wartość znoszonych do tej piwnicy fantów była bardzo wysoka, a jednak nigdy nikomu nic nie zginęło ani nawet nie doszło do uszkodzenia któregokolwiek z drogocennych longplayów.

Idylla trwała do czasu. Moment przełomowy nadszedł w dniu, w którym naszym klubem zainteresowały się władze szkoły. Urzędnikom udającym pedagogów nie mieściło się w głowie, że może istnieć coś takiego jak spontanicznie powołany klub bez właściwych papierów, zezwoleń i kontroli. Zostaliśmy wezwani na rozmowę do dyrektora szkoły. Jednym z najpoważniejszych, a dziś brzmiących absolutnie groteskowo zarzutów było to, że na spotkaniach Pops Fan Clubu spotykali się zarówno licealiści, jak i studenci, a nawet – o zgrozo! – młodzież pracująca. Jakoś dziwnie w ocenie naszej działalności dyrekcja zapomniała o szczytnych hasłach komunizmu i o tym, że wszyscy ludzie są równi. Chcąc zniwelować choćby w części grożące nam tragiczne konsekwencje takiej działalności, pan dyrektor zaproponował nam poddanie się kontroli i przyjęcie patronatu Związku Młodzieży Socjalistycznej. Związek Młodzieży Socjalistycznej był organizacją, która nas najmniej interesowała, toteż odpowiedzieliśmy na tę propozycję negatywnie, tym bardziej że pan dyrektor bardzo grubymi nićmi szył swoją intrygę, podlizując się nam niezdarnie i twierdząc, że on sam też czasem lubi posłuchać „bugi wugi". Spotkawszy się z naszą odmową, trochę się chyba pogubił, bo skoro formalnie klub nie istniał, to nie można było go zdelegalizować. Wyszliśmy z tego spotkania w poczuciu zwycięstwa, ale była to radość przedwczesna.

Dyrekcja szkoły nie dała za wygraną. Uknuli wredny spisek godny ich samych i władz, którym służyli. Postanowili zorganizować prowokację, w wyniku której milicja miałaby prawo wkroczyć i nakazać Warszawskiemu Towarzystwu Muzycznemu zlikwidowanie naszych spotkań. Wkrótce na jednym z zebrań klubu pojawił się podejrzany, nieprzyjemnie spocony gość, który nie miał zielonego pojęcia o rock and rollu, natomiast usiłował nakłonić niektórych do rozpicia wina owocowego bardzo słodkiego, a także proponował atrakcje w postaci „małego pokerka". Karty oczywiście miał przy sobie. W związku z tym, że niepisana umowa z WTM-em oraz fakt, iż część klubowiczów stanowili licealiści, w sposób oczywisty nie dopuszczały jakiegokolwiek alkoholu na spotkaniach, gość został usunięty w dość krótkim czasie. Dodajmy, że usuwano go energicznie przy użyciu siły fizycznej. Opublikowana wkrótce informacja, że pijemy i gramy w gry hazardowe, nie była poparta żadnymi dowodami, a incydent z wykopaniem prowokatora również został przemilczany, gdyż w przeciwnym razie szkoła przyznać by się musiała do prowokacji. Po tej przygodzie spotkania klubowe odbywały się już bez przeszkód, jeśli nie liczyć nerwowej sytuacji, kiedy na podwórko wjechał wóz konny, a jego kierowca zapytał, czy może już zacząć zrzucać węgiel do naszego okienka. Kto wie, może to była jeszcze jedna rozpaczliwa próba naszych wrogów, dzięki której można by nas było uznać za złodziei czarnego złota, z którego tak dumny był nasz kraj.

Klub rozwijał się wspaniale, zaczęliśmy nawet organizować koncerty. Nie zapomnę jednego wieczoru, kiedy zespół gitarowy stłoczony na mikroskopijnej scence nie był w stanie rozpocząć występu, ponieważ domowej roboty wzmacniacz złączony z domowej roboty gitarą elektryczną powodował, iż gitarzystę trzepał prąd. Mogłoby to nawet powodować interesujące efekty artystyczne, ale strachliwy muzyk nie chciał przystąpić do gry.

Jednym z najbardziej spektakularnych wyczynów klubowych był nasz występ w Sali Kongresowej podczas koncertu amerykańskiej gwiazdy, piosenkarza Paula Anki. Anka przyjechał do Polski na kilka koncertów w 1963

Paul Anka wystąpił w warszawskiej Sali Kongresowej w listopadzie 1963 roku. Miałem zamiar być na obydwu koncertach, ale zaliczyłem tylko jeden. Na wiadomość o zamordowaniu prezydenta Johna Kennedy'ego artysta odwołał występ 22 listopada roku. Paru najaktywniejszych członków klubu (z obydwoma prezesami na czele) postanowiło publicznie zamanifestować swą organizacyjną przynależność. W tym celu matki i siostry zainteresowanych zajęły się naszywaniem na ich pseudojeansowe kurteczki wyciętych z prześcieradeł liter układających się na plecach w napis Pops Fan Club. Paul Anka zauważył jednego z tańczących pod sceną klubowiczów, dzięki czemu świadomość istnienia naszej organizacji przekroczyła granice Starego Kontynentu. Ponadto prezes na cały świat (czyli ja), drąc się jak nigdy wcześniej ani później, wymusił na amerykańskim artyście wykonanie na bis piosenki, której Anka nie miał w programie, a która była jednym z ulubionych utworów prezesa na cały świat. Chodzi o mało znany, a do dziś uważany przeze mnie za świetny, utwór *Remember Diana*, nawiązujący do pierwszego wielkiego przeboju Paula Anki zatytułowanego *Diana*.

Przyszła jednak pora, że piwniczna izba na Nowym Świecie stała się zbyt ciasna, muzyka dobiegająca z podziemia zaczęła być problemem dla mieszkańców kamienicy i trzeba było pomyśleć o przeprowadzce. Tak oto znaleźliśmy się na Żoliborzu, w dość zadziwiającym miejscu, bo w ogródku jordanowskim. Kierownik tego ogródka z nieznanych mi powodów zainteresował się naszą działalnością i przyjął nas pod dach ogródkowego budynku. Warunki były idealne. Żadnych zgorzkniałych sąsiadów dookoła, możliwość spotkań na otwartym powietrzu, a do tego imponujący megafon na dachu ogródkowego biura. W swojej śmiałości w łamaniu prawa posunęliśmy się już bardzo daleko. Nie dość, że mieliśmy pieczątkę, nielegalną pieczątkę, nie dość, że członkowie klubu płacili składki, które nie były nigdzie księgowane ani zgłaszane, to jeszcze wydawaliśmy biuletyn drukowany nielegalnie na ogródkowym powielaczu, bo w tamtych czasach wydrukowanie czegokolwiek wymagało akceptacji Głównego Urzędu Kontroli Prasy, Publikacji i Widowisk. Na wszelki wypadek zmieniliśmy nazwę na bardziej polską, czyli Rytm, tak jakby ten kosmetyczny zabieg miał nas uchronić przed długoletnim więzieniem bądź zsyłką.

Mimo swej nielegalności nasze istnienie nie mogło umknąć uwadze innych osób bądź instytucji interesujących się muzyką rozrywkową. Za groźną konkurencję uznał nas Klub Miłośników Muzyki Rozrywkowej działający przy Rozgłośni Harcerskiej. Pewnego dnia w naszym ogródku jordanowskim pojawiło się dwóch wysłanników – rozwiedczików z ulicy Konopnickiej. Z zazdrością patrzyli na leżące na stole płyty, słuchali naszych rozmów, oglądali nasze biuletyny. Obawialiśmy się, że ci od harcerzy, mając legalne wsparcie akceptowanej przez władze instytucji, mogą spróbować dokonać wrogiego przejęcia. Szczęśliwie nie doszło do tak drastycznych ruchów, a kontakt z ludźmi z Rozgłośni pośrednio wpłynął na całe moje dalsze życie.

Pagart

organizuje

nam taniec

z gwiazdami

Bardzo popularną postacią w środowisku redaktorów Rozgłośni Harcerskiej był redaktor Marek Perlman,

osoba o niezwykle rozległych kontaktach, wszędobylska i rozpoznawalna. Kiedy zorientował się, że nasz klub nie jest jedynie miejscem spotkań raczkujących miłośników muzyki zachodniej, a jego założyciele, czyli ja i Andrzej, naprawdę nieźle się orientują w tym, co się w Anglii obecnie gra i lansuje, postanowił naszą wiedzę wykorzystać. Pośród jego kontaktów nie mogło oczywiście zabraknąć Polskiej Agencji Artystycznej „Pagart".

Pagart był firmą wszechwładną i wszechmocną, czyli po prostu monopolistą. Bez Pagartu nikt nie mógł wyjechać na zagraniczny kontrakt. A także nikt z zagranicy nie mógł wystąpić w Polsce. Pominę oczywiste kontakty Pagartu ze służbami specjalnymi i niewątpliwie dużą rolę, jaką odgrywały decyzje polityczne w artystycznej strategii impresariatu. Faktem jest, że biura zlokalizowane w gmachu Teatru Wielkiego były instancją niemal wszechwładną, jeśli chodzi o artystyczny import-eksport.

Jedną z osób kierujących firmą był człowiek legenda, Władysław Jakubowski. Przedstawiano go zwykle w mediach jako genialnego negocjatora załatwiającego niemożliwe do zrealizowania kontrakty z największymi. Ten geniusz polegał na tym, że Polska jako partner bardzo niechętnie pozbywała się prawdziwych pieniędzy, takich jak dolary czy funty, a jeśli już, to Jakubowski próbował jak najwięcej utargować. Przypomnę tu, że przeciętny obywatel nie miał prawa dysponować jakimikolwiek zachodnimi walutami. Ich podstawowym źródłem pozyskania byli tak zwani cinkciarze, handlujący na czarno, głównie pod sklepami Peweksu i hotelami. Namiastką dolarów były tak zwane bony PKO, które co prawda miały wydrukowane na sobie nominały dolarowe, ale nadawały się jedynie do zakupów we wspomnianych Peweksach. Jeśli jakiś chory na umyśle menadżer zgodziłby się na honorarium w bonach, to mógłby zrealizować je tylko na terenie PRL i pewnie większej części zakupionych towarów nie mógłby nawet wywieźć z Polski. A nikt chyba nie reflektował na ciężarówkę polskiej szynki konserwowej czy jeansów Super Rifle. Dodatkowo Władysław Jakubowski, o czym trąbiono wszem i wobec, był osobistym kolegą Bruno Coquatrixa, właściciela słynnej paryskiej Olimpii, co miało mu zapewniać status międzynarodowego giganta. Widziałem wprawdzie pana Władysława podczas targów w Cannes, jak mimo swych szerokich kontaktów metodycznie wybierał absolutnie najtańsze dania w najtańszych bistro podczas targów MIDEM, ale może po prostu nie przywiązywał wagi do posiłków.

Zanim jednak miałem okazję podróżować po różnych festiwalach, za sprawą redaktora Perlmana mieliśmy wraz z Andrzejem dostąpić zaszczytu audiencji w Pagarcie. Dyrektor Jakubowski popatrzył na nas przez swoje bardzo grube szkła i powiedział: „Napiszcie no mi, kogo by tu warto sprowadzić". Redaktor Perlman wręczył nam świstek papieru – na nim po krótkiej konsultacji z prezesem na całą Polskę prezes na cały świat napisał kilka najważniejszych nazw zespołów, o których marzyliśmy. Przekonany o nieograniczonych możliwościach Pagartu, zacząłem śmiało od Beatlesów, a dalej wpisaliśmy następnych w kolejności naszych idoli, takich jak: The Rolling Stones, The Animals, The Hollies, Gerry and the Pacemakers, Lulu czy Billy J. Kramer. Dyrektor Jakubowski popatrzył przez okulary na nasze bazgroły, schował kartkę do szuflady i tym samym zakończył audiencję.

Uniesienie wywołane tym spotkaniem zaczęło nas opuszczać niemal natychmiast po wyjściu z budynku, ponieważ uświadomiliśmy sobie, jak nieprawdopodobnym zadaniem może być zrealizowanie choćby części naszej listy marzeń. I tu, przyznaję, nie doceniliśmy pana Władysława. Z wyjątkiem Beatlesów, którzy byli już wtedy poza zasięgiem takich firm jak Pagart, a ponadto mieli kalendarz całkowicie wypełniony na rok lub więcej do przodu, pozostałe pozycje z naszej listy po prostu zostały zamówione, zakontraktowane i objawione zdumionej warszawskiej publiczności! Mimo dziś dość ironicznego stosunku do nadmiernie chwalonej pozycji dyrektora Jakubowskiego muszę ze skruchą przyznać, że w tych niezwykle trudnych warunkach, które panowały u nas w latach sześćdziesiątych, wykazał się godną podziwu skutecznością.

Realizowane przez Pagart wizyty brytyjskich gwiazd były dla nas za każdym razem niezwykłym świętem. Zabawa zaczynała się już od próby zdobycia biletów na koncert. Najczęściej polegało to na biwakowaniu w kolejce do kas Orbisu przy ulicy Brackiej, bo z niewiadomych powodów właśnie ta szacowna instytucja turystyczna rozprowadzała rockandrollowe bilety. Kolejka formowała się już w przeddzień otwarcia kas i stopniowo rosła wzdłuż Alej Jerozolimskich w stronę Komitetu Centralnego PZPR. Wszystko odbywało się zgodnie z tradycją. Był komitet kolejkowy, weryfikowana lista, koniki, stacze i wreszcie przewroty pałacowe w postaci samozwańczych, bezprawnych komitetów kolejkowych, które trzeba było zwalczać.

Zdobycie biletu wcale nie było jednoznaczne z zapewnieniem sobie prawa wstępu na koncert. Trzeba było pokonać dziki tłum składający się w dużej mierze z gapowiczów, którzy liczyli na przedarcie się do środka metodą „na bombę". Bileterzy wspierani przez doborowe oddziały Milicji Obywatelskiej usiłowali wprowadzić jaki taki ład. Milicja z upodobaniem tłukła melomanów pałami, wywołując dodatkową agresję i, jak w wypadku koncertu Rolling Stonesów, biorąc udział w regularnych bitwach z cywilami. Milicjanci, którzy znajdowali się wewnątrz, też nie zapominali o swoich obowiązkach i usiłowali rozentuzjazmowaną widownię utrzymać w pozycji siedzącej na miejscach, tak aby publiczność na koncercie rockowym nie różniła się od tej w Teatrze Wielkim. Ponadto pierwsze, często dostawiane rzędy wypełnione były notablami i ich rodzinami i tworzyły

coś w rodzaju falochronu między wzburzonym morzem prawdziwych miłośników muzyki a sceną.

Nasza obecność na wszystkich tych koncertach była rzeczą oczywistą,
ale chodziło nam o znacznie więcej. W tym „więcej" zawierało się wiele śmiałych inicjatyw, począwszy od odkrycia miejsca zakwaterowania
gwiazd, poprzez zdobycie ich autografów, na kontakcie osobistym koń-
cząc. Wraz z zaprzyjaźnionymi melomanami stawialiśmy sobie za punkt
honoru wytropienie miejsca zamieszkania gwiazd i przedarcia się do nich.
Co do miejsca zamieszkania, możliwości były praktycznie dwie. Podupa-
dający już nieco hotel Bristol albo sąsiadujący z nim przez ulicę Europej-
ski. Inne miejsca w Warszawie z uwagi na ich marny poziom w ogóle nie
wchodziły w grę (nie było wówczas w stolicy żadnych Sheratonów ani Mar-
riottów, ani nawet hotelu Victoria).

Warszawa, idąca spać o godzinie dziewiętnastej, dysponująca jedynie
paroma spływającymi wódką restauracjami i niemająca ani jednego klubu z prawdziwego zdarzenia, była po zmroku miastem odpychającym.
Gość z Zachodu skazany był praktycznie na to, co oferował mu hotel, czyli
na pozory rozrywki oraz różnego rodzaju niebezpieczeństwa grożące ze
strony cór Koryntu, ich troskliwych opiekunów wszelkiego rodzaju i innych szemranych osobistości.

Pewnego dnia, zgodnie z naszym zamówieniem złożonym w Pagarcie,
wylądowali w Warszawie słynni The Animals. Dotarcie do muzyków okazało się łatwiejsze, niż przypuszczaliśmy. Nie mieli żadnej ochrony, a je-
dyną oficjalną osobą kręcącą się koło nich był małomówny przedstawiciel
Pagartu. Poza wskazaniem im hotelu i zapoznaniem z datą i godziną koncertu nie miał Anglikom zbyt wiele do zaoferowania. Nic więc dziwnego,
że niewiele starsi od nas muzycy z radością powitali możliwość rozmowy
z fanami, którzy nie tylko że znali się na ich muzyce, ale jeszcze do tego
zupełnie przyzwoicie mówili po angielsku. Rozmowa w Bristolu w krótkim
czasie przerodziła się w zażyłość i w pewnym momencie padło pytanie, co
robić z wieczorem. W tamtych czasach w Polsce odpowiedź mogła być tylko jedna. Trzeba się napić.

Nie bardzo jednak odpowiadała nam atmosfera hotelowego baru, tym bardziej że ceny były tam zaporowe, a nie mieliśmy zamiaru naciągać naszych nowo poznanych przyjaciół. Szczęśliwym zbiegiem okoliczności znalazła się pośród nas osoba, która dysponowała dość sporym mieszkaniem na Saskiej Kępie, do tego niezasiedlonym przez sublokatorów, rodzeństwo i innych niepotrzebnych starców powyżej trzydziestki. Tą osobą była Pućka, czyli Maria Szabłowska, kompletnie zakręcona na punkcie Elvisa, ale najwyraźniej akceptująca też inne style muzyczne. Propozycja wyniesienia się z Bristolu została przyjęta przez Animalsów entuzjastycznie, a ponadto poparta imponującymi zakupami w hotelu. Z kuchni restauracji wyjechało piwo w skrzynkach i inne napoje, których tak naprawdę z piwem nie należy mieszać. Bardzo przydał się w tym momencie Pagart, a właściwie autobus Pagartu, który zawiózł całe towarzystwo na Saską Kępę. Zaczęła się regularna prywatka.

To było dokładnie 13 listopada 1966 roku. The Animals w Warszawie! Stałem sobie elegancko w eleganckim hotelu Bristol (nawet mnie zaznaczyli strzałką) a obok, jak gdyby nigdy nic, stał Eric Burdon, a siedzieli: organista Dave Rowberry (grzywka, golfik) i późniejszy menadżer Jimiego Hendrixa, basista Chas Chandler (grzywka mniej równa, kurteczka z prawdziwego teksasu). PS: Tę strzałkę to tak naprawdę sam zrobiłem :-(

Nie ukrywam, że zakupy Animalsów wzbogacone naszymi rezerwami bardzo szybko usunęły wszelkie bariery kulturowe i językowe. Było nas tam kilkanaście osób, ale z czasem do organizacji i obecności na tej zabawie zaczęły się przyznawać setki osób, których w życiu na oczy nie widzieliśmy. Ja wiem swoje, bo wraz z prezesem na Polskę i redaktorem Perlmanem byliśmy w komitecie organizacyjnym. Mimo że od tamtego wieczoru minęło z górą czterdzieści lat, nadal pamiętam wiele szczegółów, na przykład Erica Burdona, który zwierzał się nam z chęci nagrania płyty z własnymi wersjami największych przebojów Elvisa Presleya. Albo nieżyjącego już niestety basistę zespołu Chasa Chandlera, późniejszego odkrywcę i menadżera Jimiego Hendrixa. Ten wysoki, postawny mężczyzna przydybał mnie w kuchni i poprosił, żebym go uświadomił, co to znaczy pić po polsku, bo wiele o tym słyszał. Nie byłem specjalistą od tych spraw ani pijakiem, ale moja patriotyczna duma kazała mi zachować się godnie. Do wysokiej szklanki wlałem w równych proporcjach piwo, wino, wermut, wódkę i trochę likieru do smaku, po czym powiedziałem Chandlerowi, że trzeba to wypić duszkiem. Był zachwycony, że wreszcie pozna lokalny obyczaj. Kiedy go przeniesiono z kuchni na leżankę, mimo zamkniętych oczu wyglądał na szczęśliwego.

Gdy po pewnym czasie odzyskał przytomność, przyznał, że nie spodziewał się, iż my Polacy mamy w sobie tyle siły. Po czym na cześć jednej z uroczych naszych towarzyszek odśpiewał piosenkę *Goodnight Irene*, dowodząc bezdyskusyjnie, że basiści nie muszą czysto śpiewać. Po odespaniu pamiętnego wieczoru odebrałem od Pućki wypożyczony przeze mnie na imprezę magnetofon Tonette wraz z drogocennymi taśmami. Z jakiegoś powodu magnetofon nie działał. Nigdy się nie dowiedziałem, czy zepsuł go światowej sławy wokalista z Newcastle, czy menadżer Hendrixa, czy zazdrosny kolega znad Wisły.

To był nasz pierwszy wypad w stronę bratania się ze światowymi gwiazdami, wypad ze wszech miar oryginalny, tym bardziej że popularne w światku rock and rolla określenie „*groupies*" odnosi się do dziewcząt, które swoim idolom nie odmawiają niczego. My byliśmy przeciwieństwem dziewcząt, a jednak zwabiliśmy gwiazdorów na prywatkę. Choć nie robiliśmy im tego, co najczęściej rockmanom robią *groupies*, wszystko wskazywało na to, że byli całkiem zadowoleni.

Operację „*let's have a party*" powtórzyliśmy parokrotnie. Naszymi gośćmi byli na przykład członkowie legendarnej dziś grupy The Artwoods, którzy występowali w Warszawie obok gwiazdora ery merseybeatu Billy'ego J. Kramera. Wciąż doskonale pamiętam klawiszowca Artwoodsów, niejakiego Jona Lorda, który po paru piwach zwierzał mi się, że chciałby odejść z zespołu i skompletować nowy, nieco ostrzej grający skład. Jak się jeszcze troszeczkę napił, to opowiadał również zdumiewające historie o tym, że jego koledzy, Lennon i McCartney, wcale nie są tacy genialni i samowystarczalni i korzystają cichaczem z pomocy innych, też zdolnych artystów. W powietrzu wisiała informacja, że mój rozmówca ma spory udział w sukcesach Beatlesów. Do takiego sensacyjnego wyznania ostatecznie nie doszło, ale marzenie Lorda o stworzeniu własnego zespołu okazało się stuprocentową prawdą. Wkrótce dotarła do nas wieść o stworzeniu, z nim jako członkiem założycielem, grupy Deep Purple.

Lider i wokalista The Artwoods, czyli właśnie Art Wood (starszy brat grającego w Rolling Stonesach Rona Wooda), też nie wylewał za kołnierz i tuż po zapadnięciu zmroku zakochał się na zabój w jednej naszej nieletniej, ale atrakcyjnej wizualnie koleżance. To piękne uczucie mogło jednak zdusić w zarodku nieludzkie zarządzenie ojca koleżanki, mówiące, że ma ona być w domu najpóźniej o dwudziestej drugiej. Prawdziwa miłość nie zna jednak przeszkód! Młodociana dama skontaktowała telefonicznie rozmodlonego Wooda ze swoim ojcem, który rozumiał wiele słów po angielsku. W efekcie tej rozmowy godzina powrotu została przeniesiona na nieco później i zapatrzeni w siebie młodzi wrócili szczęśliwi na parkiet. Albo gdzie indziej.

Nieźle na naszej prywatce bawił się też Billy J. Kramer. W dowód wdzięczności za tak przyjemnie spędzony wieczór podarował dwumetrowemu prezesowi na Polskę, czyli Andrzejowi, białą kurtkę jeansową marki Levi's. Niestety, jako że Billy był drobniutkim mężczyzną, żaden z prezesów z racji swoich gabarytów nie mógł zmieścić się w to małe ubranko. Ponadto wykryliśmy, że Kramer musiał być, mimo swojej popularności, oszczędny, gdyż kurteczka najwyraźniej pochodziła z wyprzedaży i miała odcięte metki. Po latach odnalazłem ją ze wzruszeniem i chciałem nawet komuś podarować, ale niestety zafarbowała od zardzewiałych metalowych guzików. Poza tym w dalszym ciągu była na mnie za mała.

Nasza chęć do wspólnych zabaw nie ominęła nawet zespołu Gerry and the Pacemakers, który przyjechał do Polski nie tyle na koncerty, ile w celu wystąpienia na żywo w telewizji. W tamtych latach było to wydarzenie zupełnie niezwykłe. Studio zaaranżowano w Pałacu Prymasowskim w Warszawie przy ulicy Senatorskiej. Zainstalowały się tam kamery telewizyjne, a w związku z niemożnością zorganizowania prawdziwego występu grupa posłużyła się playbackiem. Materiałem muzycznym ku naszemu wielkiemu zdumieniu była płyta gramofonowa, którą muzycy przywieźli z Londynu. Wystarczyło jakiekolwiek uszkodzenie analogowego longplaya, żeby cały pomysł spalił na panewce. Wszystko jednak odbyło się bezproblemowo, a my wyłuskaliśmy muzyków zaraz po emisji i znowu bawiliśmy się wspólnie długo w noc. Gerry okazał się bardzo sympatycznym i dowcipnym kompanem, zachłannie obserwującym pozahotelowe życie w Warszawie. W czasie naszego spaceru po mieście ze szczególnym zainteresowaniem obserwował na przykład pijaczka taczającego się wokół Centralnego Domu Towarowego (późniejszego Smyka) przy Alejach Jerozolimskich. Ten widok sprowokował nawet interesującą rozmowę, podczas której piosenkarz analizował różnice w sposobie chodzenia pomiędzy napitym Słowianinem a Anglosasem. Ostatecznych wniosków szczegółowo nie pamiętam, ale wydaje mi się, że były interesujące zarówno z punktu widzenia kulturoznawczego, jak i medycznego.

Pięć najlepszych (moim zdaniem, które może się zmienić w każdej chwili) coverów

1. **Joe Cocker,** *With a Little Help from My Friends* – to było w 1969 roku. Znałem oczywiście wszystkie piosenki Beatlesów na pamięć i wiedziałem, że ich wersje nagrywane przez innych nie umywają się do oryginałów. Kiedy usłyszałem ryczącego Cockera i towarzyszący mu chórek, raz na zawsze przestałem uważać, że lepsze jest wrogiem dobrego.

----

2. **Rodrigo y Gabriela,** *Stairway to Heaven* – meksykański duet gitarowy dowiódł ponad wszelką wątpliwość, że wersja instrumentalna klasycznego utworu może być równie poruszająca jak śpiewany oryginał Led Zeppelin.

----

3. **The Jimi Hendrix Experience,** *All Along The Watchtower* – podobnie jak Cocker dodał Beatlesom ciężkiego brzmienia i treści, tak postąpił Henio z kompozycją Dylana.

----

4. **Jeff Buckley,** *Hallelujah* – mruczące, nastrojowe półśpiewanie Cohena Buckley zamienił we wstrząsające siedem minut. Trzeba głośno posłuchać, żeby to ogarnąć.

----

5. **Johnny Cash,** *Hurt* – zdumiewający mariaż: zmęczony, schorowany mistrz łamiącym się głosem śpiewa utwór o trzydzieści trzy lata młodszego, industrialno-metalowo-alternatywnego Trenta Reznora, a brzmi to tak, jakby było pisane specjalnie i wyłącznie dla Casha. Dołująca rewelacja.

Z przykrością muszę podkreślić, że fiaskiem zakończyła się próba wyciągnięcia z hotelu Cliffa Richarda. Co prawda dotarliśmy do jego pokoju i nawet sam otworzył nam drzwi. W pierwszej chwili wcale go nie rozpoznałem, ponieważ w przeciwieństwie do znanych mi wizerunków z okładek i zdjęć prasowych twarz Cliffa w dużym stopniu zasłaniały duże rogowe okulary. Bardziej pasowały do kogoś, kto zajmuje się księgowością, niż do gwiazdy rocka i popu. W tamtych czasach pokazywanie się w okularach było zresztą czymś wstydliwym. Jedynie amerykański pionier rock and rolla Buddy Holly pokazywał się w charakterystycznych ciemnych oprawkach optycznych szkieł. Inni najwyraźniej uważali, że okulary to obciach. Sporą sensacją była w połowie lat sześćdziesiątych pierwsza publikacja zdjęcia Johna Lennona w grubych szkłach korekcyjnych. Uzbrojony w swoje okulary Cliff Richard wykręcił się od wspólnej zabawy jakąś błahą wymówką i spławił nas, dając nam zdjęcia z autografem. Do dzisiaj nie wiem, czy naprawdę bolała go głowa albo coś innego, czy się zwyczajnie przestraszył.

Historyczna już dziś wizyta The Rolling Stones w Warszawie miała miejsce 13 kwietnia 1967 roku. Skala tego wydarzenia w realiach gomułkowskiej Polski jest teraz trudna do pojęcia. To trochę tak, jakby dzisiaj na placu Defilad wylądował statek kosmiczny z innej galaktyki i wysłannicy obcej cywilizacji powiedzieli, że właśnie wybrali Warszawę na stolicę wszechświata. Moja i moich kolegów obecność na koncercie była absolutnie obowiązkowa, bez względu na to, jakie przeszkody stawiano by nam na drodze. Koncert w Sali Kongresowej był dla mnie niesamowitym przeżyciem, tym bardziej że nie chodziło tylko o muzykę, ale o realizację marzeń, dotknięcie wielkiego świata, zobaczenie, powąchanie, poczucie, usłyszenie i zapamiętanie. Dowodem na stan mojej świadomości w tamtym momencie niech będzie to, że o wiele wyraźniej pamiętam, jak Mick Jagger szarpał zębami jakieś kwiaty, które mu podano, niż piosenki, które śpiewał. Chociaż nie, jedno pamiętam niesłychanie wyraźnie – postać Briana Jonesa, tragicznie zmarłego dwa lata później gitarzysty zespołu. Obok szalejącego po estradzie Jaggera stał długowłosy blondyn jakby zatopiony w swoich własnych myślach i tylko częściowo uczestniczący w koncercie. Nie skakał, nie nawiązywał kontaktu z widownią, z pochyloną głową, skupiony na swoim graniu. Zastanawiałem się wówczas, jak tak różne

Cliff Richard byłby jeszcze wesel-
szy, gdyby dał się nam zaprosić
na zabawę po warszawskim koncercie. A tak został w hotelu sam
z okularami. Jego strata

osobowości mogą funkcjonować w jednym zespole. Niestety, na zadanie tego pytania nie miałem żadnych szans, bo o imprezie z Rolling Stonesami nawet nie mogliśmy marzyć. Już wtedy byli bardzo szczelnie chronieni. Podejrzewam, że taki Keith Richards bez trudu dałby się gdzieś wyciągnąć, ale nie doszło nawet do przelotnego kontaktu. Charlie Watts wtedy jeszcze nie kolekcjonował koni, więc nawet nie przyszła nam do głowy myśl, żeby go przewieźć dorożką ze Starego Miasta.

Gdzie tu można dostać *coke?*

Opisywane przeze mnie koncerty zagranicznych gwiazd mogą w tej kondensacji książkowej robić wrażenie,

że w Warszawie wciąż ktoś bardzo znany występował i stolica Polski była, nie przymierzając, drugim Paryżem. Owszem, jak ówcześni apologeci systemu to podkreślali, mieliśmy w Warszawie pięćset metrów Paryża. Chodziło o niewielki odcinek Alej Jerozolimskich, a głównie o to, że udało się tam zamontować pewną liczbę kolorowych neonów. Najbardziej efektowny ozdabiał front budynku, w którym mieścił się nieistniejący już bar Praha. Świeciły też, choć z przerwami i czasem niekompletne, wielkie reklamy PZU, Centralnego Domu Towarowego (tego, pod którym Gerry Marsden tworzył interesujące teorie na temat słowiańsko-anglosaskich różnic), a także ekskluzywnych salonów typu jubiler czy mięso, wędliny. Szczególnie lubiłem widniejący na szczycie budynku, w którym mieściły się biura Orbisu, neonowy globus w kolorach niebieskim i czerwonym. Przypomnę, że właśnie w tym budynku po odstaniu w kilkusetosobowych kolejkach zaopatrywałem się w bilety na niektóre opisywane wcześniej koncerty.

Mimo że tych wielkich wydarzeń było tyle, co kot napłakał, to trzeba powiedzieć, że jedna cykliczna impreza zawsze gwarantowała przeżycia artystyczne na najwyższym międzynarodowym poziomie. Na nieszczęście dla miłośników popu i rocka była to impreza jazzowa. Mam na myśli organizowane w stolicy rokrocznie koncerty pod nazwą Jazz Jamboree. Organizatorom Jazz Jamboree udawało się zwabić jakimś cudem prawdziwych gigantów jazzu, a chwilami jakichś artystów jazzopodobnych, mających nawet wyraźne związki z muzyką rozrywkową. Nic więc dziwnego, że koncerty, organizowane w Sali Kongresowej, a także w Filharmonii Narodowej, ściągały tłumy spragnione muzyki z całej Polski, i nie tylko. Dodatkową atrakcją były organizowane nieodmiennie nocami jam sessions, podczas których następowało silne zakrapianie kontaktów międzynarodowych i osobistych.

Moje pierwsze zetknięcie z atrakcjami Jazz Jamboree nastąpiło w roku 1964 i pozostało mi w pamięci jako przeżycie wstrząsające, nieprawdopodobne i nijak niepasujące do estetyki proponowanej obywatelom przez Władysława Gomułkę i jego kolegów. Mam na myśli wizytę formacji Big City Blues, która wystąpiła na szacownej scenie Filharmonii Narodowej. Na tej samej scenie, tylko trochę z boku, siedziałem ja i paru moich zahipnotyzowanych kolegów i chłonęliśmy to, co tam się wyrabiało. A wyrabiało się niemało, ponieważ Big City Blues wystąpił w bajkowym składzie. Byli w nim: długoletni współpracownik Bo Diddleya Clifton James – perkusja, samodzielna gwiazda wokalistyki i pianistyki bluesowej Sunnyland Slim, legendarny basista, wokalista i kompozytor (*Spoonful!*) Willie Dixon, porażający dźwiękiem swojej gitary elektrycznej Hubert Sumlin i wreszcie szalony, nawiedzony, spocony wokalista Howlin' Wolf, pokazujący oszołomionej publiczności wszystko to, czego nigdy nie pokazała jakże popularna w Polskim Radiu Orkiestra Mandolinistów Edwarda Ciukszy. Nie przesadzę, jeśli powiem, że po tym koncercie mój świat muzyczny nie był już taki sam. Koncert Big City Blues był jedynie przebłyskiem w szarej rzeczywistości Polski Ludowej, ale wystarczył, bym zaczął marzyć o tym, by zbliżyć się do tego magicznego świata muzyki. I właśnie dzięki festiwalowi Jazz Jamboree moje marzenia zaczęły się materializować.

Korzystając z tego, że miałem już pewne kontakty z wszechwładnym Pagartem, a także z tego, że porozumiewałem się dość swobodnie po angielsku, znalazłem się w elitarnej grupie tak zwanych pilotów-tłumaczy, przydzielanych odwiedzającym Warszawę muzykom. Teraz po latach, kiedy przypomnę sobie nazwiska tych, z którymi się kontaktowałem, zaprzyjaźniałem i wznosiłem toasty, ogarnia mnie wręcz zdumienie, że znałem osobiście największe legendy światowego jazzu. Żeby samemu sobie zaimponować, przypomnę kilka nazwisk moich krótkotrwałych co prawda, ale jednak kolegów: Duke Ellington, Roland Kirk, Ornette Coleman, Cannonball Adderley, Thelonious Monk, Jimmy Smith, Charlie Haden, Maynard Ferguson – listę mógłbym ciągnąć jeszcze długo. W większości wypadków wszyscy ci giganci byli ciekawi kraju zza żelaznej kurtyny, a także bardzo grzeczni. Wynikało to albo z ich naturalnej uprzejmości, albo ze strachu, że jak zrobią niewłaściwy krok, to wpadnie KGB na białych niedźwiedziach i ich wszystkich zabije, a w najlepszym razie wywiezie w syberyjską tundrę albo nawet tajgę. Interesowali się wszystkim, choć ich wiedza nie tylko na temat Polski, ale i Europy pozostawiała nieco do życzenia.

Uroczą grupę dziadków z zespołu Preservation Hall Jazz Band zabrałem na spacer po Warszawie. Było to w latach, kiedy trwała odbudowa Zamku Królewskiego. Wokół placu budowy stały wielkie tablice pokazujące stan sprzed drugiej wojny światowej, płonące ruiny zamku i to, co zostało z niego po powstaniu warszawskim, czyli kawałek muru z jednym oknem. Dziadkowie z Nowego Orleanu byli pod wielkim wrażeniem tego, co im pokazałem, i powtarzali z przejęciem, że wojna to naprawdę coś strasznego. Jeden z nich zbliżył się do mnie i zadał uściślające pytanie: „Wojtek, a właściwie kto się z kim bił?". Trochę mnie przymurowało, ale zgodnie z prawdą powiedziałem, że bili się z nami Niemcy, a żeby rozwiać wszelkie wątpliwości, przypomniałem, że znajdują się w Warszawie, stolicy Polski. To ich uspokoiło i z radością przyjęli fakt, że już niedługo Warszawa z powrotem będzie miała Zamek Królewski. Inny z zachwyconych naszą odbudową amerykańskich muzyków zapytał mnie dla porządku, czy język, w którym się nasi obywatele porozumiewają, to jest rosyjski, czy jakiś inny, i czy mamy w Polsce króla, czy królową. Żeby uniknąć zawiłych tłumaczeń na temat ówczesnego systemu ludowego, odpowiedziałem po prostu, że mamy mówiącego płynnie po polsku króla. Wszystkich nas to całkowicie zadowoliło. Egzotyka, jaką oferowała Polska Amerykanom, często była dla nas w pierwszej chwili niezrozumiała.

Tak było choćby w wypadku pierwszych wizji lokalnych w Sali Kongresowej Pałacu Kultury. Początkowo było mi trochę wstyd, że prowadzę moich zagranicznych podopiecznych w tak kiczowate, socrealistyczne miejsce. Wydawało mi się, że faceci, którzy mają za sobą występy w Carnegie Hall, paryskiej Olimpii i superklubach od Nowego Jorku po Berlin Zachodni, będą pękać ze śmiechu, widząc szemrany przepych podarunku od Józefa Stalina. Tymczasem marmury, kryształy i czerwony plusz w Sali Kongresowej nieodmiennie wzbudzały ich podziw. Czuli się dowartościowani, że będą koncertować w tak pięknych wnętrzach. Bardzo mi to pomogło i przestałem się wstydzić estetyki Pałacu.

Zderzenie z polską rzeczywistością, jak to w życiu, bywało czasem dramatyczne, czasem zabawne. Dwóch bardzo znanych instrumentalistów jazzowych z USA, których nazwiska na wszelki wypadek pominę, poruszyło bardzo delikatny temat. Siedząc w lobby Hotelu Europejskiego, pytali mnie dyskretnie, gdzie tu można dostać *coke*. Jako chłopiec młody, prostolinijny, o jasnym spojrzeniu, nawet nie podejrzewałem, że pytają o coś innego niż o coca-colę, a przecież towarzysz Edward Gierek jeszcze wówczas nie wiedział, że kupi Polakom licencję na ten niebezpieczny napój. Oferowałem więc spragnionym muzykom naszą polo-coctę, a także całą gamę innych atrakcyjnych napojów, jak sok Dodoni czy Płynny Owoc. Do dzisiaj nie wiem, czy uznali mnie za idiotę, czy agenta tajnej policji, w każdym razie gwałtownie przestali się o tę *cokę* dopominać.

Strach przed wszechwidzącymi tajnymi służbami w niektórych wypadkach doprowadzał goszczące u nas gwiazdy do lekkiej paranoi. Trębacz Maynard Ferguson podczas posiłku w restauracji hotelowej, niby żartem, ale też z pewnym niepokojem, sprawdzał, czy w cukiernicy jest ukryty mikrofon. Niepokoje polityczne nie były jedynymi, które trawiły gości Jazz Jamboree. W 1967 roku na festiwalu pojawił się jowialny Amerykanin nazwiskiem, powiedzmy, Mr. B. Podobno był aktywnym propagatorem jazzu w Paryżu, związanym z tamtejszym środowiskiem artystycznym. Obok zainteresowań muzycznych charakteryzowały go również zainteresowania erotyczne, dodajmy, odmienne od moich. Nie przypuszczam zresztą, abym był w jego typie, bo bez ogródek spytał mnie już na wstępie, gdzie tu by można spotkać jakichś fajnych chłopaków. Na wabia pokazał zupełnie nieprawdopodobną torbę, do której jak kartofle wrzucone zostały luzem nieopisane skarby: płyty gramofonowe, single i tak zwane EP-ki różnych znanych gwiazd światowej piosenki. Jak na miłośnika jazzu, zestaw był zdecydowanie zbyt lekki, ale ewidentnie nie miał służyć panu B. do słuchania, lecz raczej do zwabiania i zabawiania. Owszem, znałem różnych fajnych chłopaków, ale nie takich, jacy interesowali Mr. B., więc na skarby z torby nie miałem nadziei. W końcu jednak załapałem się na parę pozycji z tego płytowego sezamu w nagrodę za rzetelne wykonywanie obowiązków pilota-tłumacza. W związku z moją całkowitą niechęcią do swatania go Mr. B. wziął sprawy w swoje ręce, zresztą skutecznie. Szybko się okazało, że oczekiwane przyjemności zapewnia mu pewien dość blady młodzieniec, którego przelotnie spotkałem w hotelowym lobby. Miał w rękach kilka płyt ze znanej torby. Ciekawe, że blady nie znał żadnego obcego języka, a jednak wyglądało na to, że się z Mr. B. doskonale rozumieli. Jedno jest pewne – mimo dobrych stosunków z B. tych najlepszych płyt już nie dostał, bo były u mnie.

Brak jakiejkolwiek wiedzy na temat Polski i generalnie krajów pilnowanych przez komunistów powodował u przedstawicieli wolnego świata pewien niepokój. Szczególnie kiedy ich brak pewności łączył się z alkoholem.

Opiekowałem się kiedyś pianistą Teddym Wilsonem. Był to przemiły starszy pan, który czuł się nieco zagubiony w realiach polskich, a nawet europejskich. Obce mu również były nasze obyczaje koncertowe. Po pierwszym koncercie, zakończonym ogromną owacją, do garderoby, w której na niego oczekiwałem, wszedł przybity Teddy. „*I played my best, why are they booing me?*" („Grałem najlepiej, jak umiem, dlaczego mnie wygwizdują?") – zapytał dramatycznie. Wypchnąłem go na scenę, jednocześnie próbując tłumaczyć, że widownia krzyczy „bis", a nie „*boo*". „*Boo*" to w anglosaskiej

Młody, pogod-
ny Teddy Wil-
son. Mrożące
krew w żyłach
polskie prze-
życia jeszcze
przed nim

kulturze dźwięk wyrażający dezaprobatę, a dla odmiany gwizdy są wy-
razem zachwytu. Skołowany Teddy nic nie zrozumiał poza tym, że ma
znowu grać. Po koncercie jeszcze raz utwierdziłem go w przekonaniu, że
przyjęto go niezwykle ciepło. Dla świętego spokoju udawał, że już wszystko rozumie, ale na wszelki wypadek nie chciał wyjść z hotelu. Po niezbyt
długim czasie ciekawość jednak wzięła górę i poprosił, bym korzystając
z wolnych paru godzin, pokazał mu Warszawę.

Podczas spaceru po mieście zobaczył na Nowym Świecie witrynę skle-
pu zegarmistrzowskiego i zapytał, czy prezentowane tam zegarki są prawdziwe, a jeśli tak, to czy są na sprzedaż. Właściciel zakładu, niezależnie od
naprawy czasomierzy, zajmował się też reperacją uszkodzonych zegarków,
którymi na boku handlował. Był to jeden z nielicznych sposobów na za-
opatrzenie się w zegarek innej marki niż NRD-owska Ruhla czy coś z bo-
gatej gamy produktów radzieckich. Teddy Wilson, rozpromieniony, kupił
trzy używane szwajcarskie zegarki dla siebie, żony i syna. Na nic zdały się

moje protesty i zapewnienia, że skoro po Warszawie jedzie występować w Zurychu, to będzie miał do wyboru nie pięć używanych egzemplarzy, ale pięć milionów zupełnie nowych. Wilson obstawał przy swoim. Powiedział, że chce mieć pamiątkę z Polski, i tyle. Po czym wyjął z torebki plastikowy pojemnik z płynem i pociągnął zdrowo.

Z tym pojemnikiem Teddy Wilson nie rozstawał się nigdy, tym bardziej że miał on niezwykłą cechę samonapełniania się. Pojemniczek nieodmiennie sam się dopełniał nie tylko w Warszawie. Tak samo działał również podczas występów w Krakowie, ale, jak się okazało, nie nocą. Dowiedziałem się o tym właśnie pod Wawelem. Po bardzo udanym krakowskim koncercie pożegnałem Teddy'ego pod jego pokojem i sam też udałem się na spoczynek. Około pierwszej po północy zbudziło mnie łomotanie do drzwi. Wzburzony pracownik hotelu krzyczał do mnie, że ten „Murzyn, z którym pan przyjechał, naprał się, biega po hotelu i strasznie coś krzyczy". Natychmiast oprzytomniałem i pobiegłem na pomoc mojemu Teddy'emu. Pijaniutki w trąbę, miotał się po korytarzu, jęcząc, że jest skończony, bo ktoś mu ukradł paszport i już nigdy stąd nie wyjedzie, i nie zobaczy swojej rodziny. Włączyłem wszystkie moje terapeutyczne i kojące fluidy, zaprosiłem Teddy'ego do jego własnego pokoju i próbowałem go nakłonić, żeby powiedział, co się naprawdę wydarzyło. Z jego opowiadania wynikało niewiele poza tym, że gdzieś tak przed północą jego pojemniczek jednak wyschł i nieszczęsny Teddy postanowił wyruszyć w poszukiwaniu czynnego źródełka. Wiedząc o czyhających wszędzie zagrożeniach, chciał wyjść z paszportem w kieszeni. No i nieszczęście! Paszportu nie ma. Wydawało mi się nieprawdopodobne, żeby służby specjalne czyhały akurat na jego paszport, więc zapytałem, czy mogę przeszukać walizkę. Otrzymawszy zgodę, spenetrowałem bagaż i w krótkim czasie znalazłem skradziony paszport w bocznej ściance. Uszczęśliwiony pianista o międzynarodowej sławie rzucił się na mnie ze łzami w oczach i obejmując mnie czule, powiedział, że uratowałem mu życie i szczęście jego bliskich.

Na tym jednak nie koniec historii. W tajemnej przegródce walizki Wilsona był jeszcze mały płaski pakiecik. Kiedy Teddy przestał mi dziękować, zobaczył to coś, co wyciągnąłem razem z paszportem. Gwałtownie znieruchomiał i zszarzał na twarzy. Zapytał mnie, czy jestem człowiekiem honoru i co jest dla mnie najświętsze. Zaskoczony powiedziałem mu z grubsza, co jest dla mnie najświętsze, a on kazał mi na to wszystko przysiąc, że nigdy, przenigdy – nawet na torturach – nie pisnę ani słowa na temat tego zawiniątka. Powiedział, że dostał to, kiedy występował w Szwecji, i bardzo się wahał, czy może to wwieźć do Polski. Nie spał całą noc przed przekroczeniem granicy, usiłując tajemniczy pakiecik ukryć jak najsprytniej. No i teraz wszystko się wydało. Coraz bardziej zaintrygowany, zapytałem Teddy'ego, co on tam właściwie przewozi. Podejrzewałem jakieś bardzo niebezpieczne substancje albo mikrofilmy. Mój podopieczny przełamał się, raz jeszcze wspomniał, że o tym nie mogę nikomu nic powiedzieć, bo na pewno zostanie aresztowany, po czym rozwinął pakiecik. Była tam czarna prezerwatywa z trzema wystającymi wypustkami. Dotrzymałem słowa. Teddy Wilson bezpiecznie opuścił nasz kraj.

Jazz

z prądem

Gośćmi festiwalu Jazz Jamboree bywali artyści, których twórczość wykraczała poza ramy czystego jazzu.

Ich występy były gratką dla miłośników muzyki rozrywkowej, czy też, jak wtedy się ją określało, bigbeatowej. A już osiągnięcie takie jak umieszczenie piosenki na liście *Top Twenty* Radia Luxembourg powodowało, że polscy melomani z wypiekami na twarzy czekali na występ gwiazdy. Takim właśnie artystą legitymującym się prawdziwymi przebojami był Georgie Fame. Fame przyjechał do Warszawy w 1967 roku, *nota bene* z późniejszym leaderem wspaniałego Colosseum, perkusistą Jonem Hisemanem.

Dodatkową niezwykłą atrakcją towarzyszącą przyjazdowi artysty była wielka ściągnięta stalowymi taśmami skrzynia, która wylądowała na scenie Sali Kongresowej w dniu koncertu. Zawierała nowiusieńkie, przywiezione prosto od producenta, organy Hammonda. Miały one zadebiutować właśnie w czasie Jazz Jamboree. Bez nich angielski muzyk nie mógłby sobie poradzić, a zastępczych tego typu organów w Polsce pewnie nie było ani jednego egzemplarza – jeśli już, to na pewno starszy model. Cała ekipa techniczno-menadżerska z nabożeństwem zabrała się do przygotowania instrumentu. Należało zacząć od rozpakowania. Ażeby rozpakować, należało pozbyć się stalowych taśm. Jeden z inżynierów specjalistów powiedział, że on takie taśmy zdejmuje bez wysiłku, tylko musi mieć odpowiednie narzędzia. Z odpowiednich narzędzi znalazły się w Kongresowej jedynie obcęgi, które zostały natychmiast użyte. Chwilę później wezwano pogotowie do głęboko rozciętej i krwawiącej obficie ręki inżyniera. Okazało się, że taśmy stalowe są nie tylko mocne, ale i bardzo ostre. Różnymi innymi sposobami udało się już bez ofiar rozpakować drewnianą skrzynię i rozanielonym oczom zebranych ukazał się w pełnej krasie nowiutki hammond.

Georgie Fame, po sprawdzeniu, że instrument nie jest uszkodzony, postanowił rozpocząć próbę. Organy Hammonda są tak skonstruowane, że najlepiej działają po podłączeniu do prądu. Dodatkowo towarzyszył im oryginalny głośnik Leslie, który też wymaga zasilania. Dla polskiego inżyniera była to informacja banalna i artysta został zapewniony, że w try miga prąd się znajdzie. Pewien kłopot stanowił fakt, że potrzebne były przynajmniej dwa gniazdka: do organów i do leslie. Inżynier wywiązał się z zadania znakomicie. Przyciągnął na środek sceny długi przewód zakończony kawałkiem deski, do której przybite były gwoźdźmi gniazdka. Już po chwili można było uruchomić rozpakowane urządzenia, ale tu czyhała pułapka. Producent organów, nie wiedząc, gdzie, kiedy i w jakich warunkach będą one używane, nie zaopatrzył przewodów zasilających w żadne wtyczki, logicznie rozumując, że w kraju, w którym będą uruchamiane, takie wtyczki zostaną zamontowane. I tu chytry kapitalista się mylił. W Kongresowej nie było wtyczek. Czas nieubłaganie mijał. Jednak dla inżyniera nie było problemu. Na oczach osłupiałego Fame'a wepchnął gołe druty do dziurek z prądem i umocował je w tych dziurkach bardzo porządnie zapałkami. Anglicy próbowali nieśmiało sugerować, że przydałoby się uziemienie, ale inżynier stanowczo wyjaśnił, że to są fanaberie. Tym bardziej że przecież sprzęt działa. Przyznaję, że całą tę akcję obserwowałem nieco z boku, tłumacząc jedynie niezbędne fragmenty, bojąc się zarówno zerwania koncertu, jak i gwałtownego porażenia kogoś z zainteresowanych. Na szczęście do niczego takiego nie doszło i artysta wystąpił o czasie ku zachwytowi widowni.

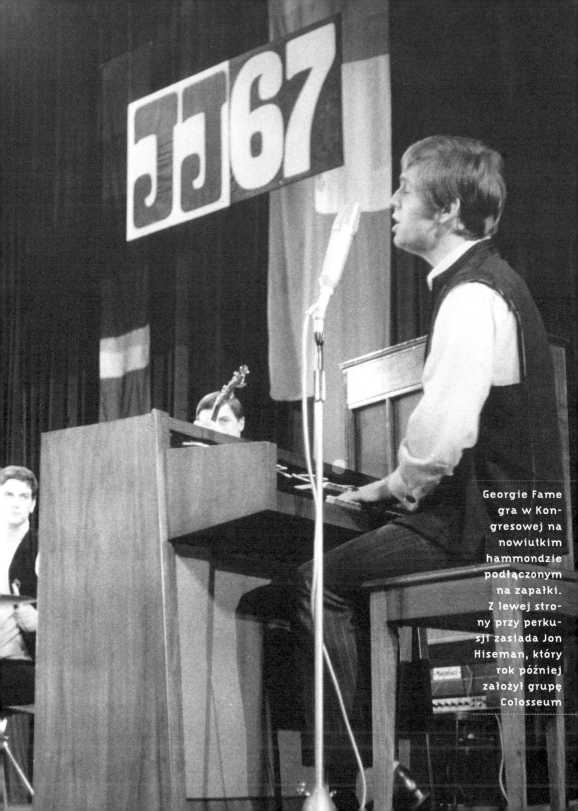

Georgie Fame gra w Kongresowej na nowiutkim hammondzie podłączonym na zapałki. Z lewej strony przy perkusji zasiada Jon Hiseman, który rok później założył grupę Colosseum

Pięć najbardziej niezapomnianych koncertów w życiu (i nie chodzi tu tylko o kwestie muzyczne)

----

1. The Animals w warszawskiej Sali Kongresowej w 1966 roku. Mimo iż byłem bardzo zrównoważonym młodzieńcem, już przy pierwszych dźwiękach *I'm Crying* zacząłem wrzeszczeć. Gdybym miał marynarkę, tobym wrzeszcząc, machał.

----

2. Cliff Richard w tejże Kongresowej. Chciałem wejść „na Anglika", bo obcy język robił wówczas duże wrażenie na obywatelach. Nie zrobił na milicjancie, który mnie rozszyfrował, wepchnął do „suki" i w uznaniu moich zdolności lingwistycznych pozwolił wybrać, czy chcę dostać czarną, czy białą pałą.

----

3. Metalowy koncert w katowickim Spodku. Siedziałem pod ścianą głośników przy stoliku z boku sceny i zapowiadałem kolejne zespoły. Grali bardzo głośno, ale trochę monotonnie. Zasnąłem. Obudził mnie przenikliwy szept inspicjenta: „Panie redaktorze, czekamy na zapowiedź!".

----

4. The Rolling Stones na Stadionie Śląskim w Chorzowie. Miałem miejsce w loży VIP. Słychać i widać było doskonale. Ze zdumieniem patrzyłem na niektórych „celebrytów" i biznesmenów, a głównie na ich lansujące się towarzyszki. Zamiast podziwiać koncert, spędzili większość czasu w barze za lożą. Whisky pokonała już niejednego artystę.

----

5. Opisywany tu Big City Blues w Filharmonii Narodowej. Nie chodzi mi jedynie o wstrząsające wrażenia muzyczne, ale o publikowane potem recenzje. Ówcześni specjaliści od muzyki totalnie skrytykowali koncert. Albo byli kompletnie głusi, albo, bez względu na własne zdanie, konsekwentnie trzymali się oficjalnej ludowej i państwowotwórczej estetyki.

Stosunek polskich służb do instrumentów gości zagranicznych opisany powyżej nie był jakimś szczególnym wyjątkiem. Doskonale pamiętam wizytę w Warszawie wspaniałego amerykańskiego basisty Charliego Hadena. Opowiadał mi niemal z miłością o walorach swojego kontrabasu, który był jakimś nadzwyczajnym, wypieszczonym egzemplarzem. Oczywiście jedynym w swoim rodzaju. Do dziś mam w pamięci minę Hadena, kiedy na jego i moich oczach portier Hotelu Europejskiego, wyciągając tenże kontrabas z furgonetki, upuścił go na chodnik. Charlie Haden był jednym z najbardziej kulturalnych muzyków, jakich poznałem, więc poza dojmującym smutkiem, jaki pokazał się na jego twarzy, nic więcej się nie wydarzyło. Następnego dnia wspomniał tylko coś o jakichś pęknięciach, ale dokładnie nie wiem, o co mu chodziło.

Opisane wypadki pokazują pewien brak obycia czy też umiejętności obchodzenia się ze sprzętem rzadko wówczas w Polsce spotykanym. Nie widzę jednak w tych historyjkach złej woli ich uczestników. Taka zła wola jednak też pojawiała się w czasie moich kontaktów z jazzmanami. Oto na przykład orkiestra Duke'a Ellingtona, która uprzedzona o warunkach panujących w Polsce, przywiozła sobie odpowiedni zapas coca-coli, nie bardzo się nią nacieszyła. Całą tę coca-colę ukradziono im tuż po przyjeździe do Warszawy. Nie chciałbym, aby ktokolwiek myślał, że zagraniczni artyści byli wyłącznie nieprzyjemnie zaskakiwani tym, co ich u nas spotykało. To był tylko epizod. Owszem, można uznać proszenie niewidomego Rolanda Kirka o autograf za niezbyt fortunne, ale w większości wypadków fantastyczna atmosfera i przyjęcie przez polską publiczność sprawiały, że byli oni bardzo zadowoleni z pobytu w Warszawie.

Oczywiście Polska zapewniała zagranicznym gościom atrakcje, których nie tylko się nie spodziewali, ale też nie wiedzieli nawet o ich istnieniu. Dobrym przykładem takiej sytuacji jest moja miniprzygoda z innym gigantem jazzu, Ornette'em Colemanem. Od pierwszej chwili był niezwykle przyjazny i zapowiadał, że jak tylko skończy zajęcia obowiązkowe, musi się ze mną wypuścić na miasto „to paint the town red", czyli zaszaleć. Zajęcia obowiązkowe skończyły się dosyć późno, a w latach sześćdziesiątych

Mój kolega
Ornette Cole-
man bez futra,
bo mu ciepło.
Bardzo ładny
saksofon

okolice Hotelu Europejskiego przypominały po dwudziestej trzeciej raczej pustynię niż centrum europejskiej stolicy. Niemniej Coleman nie zrezygnował z zamiaru odbycia szaleńczego wieczoru i poprosił, żebym go
zawiózł do jakiegoś klubu. Decyzja nie była trudna, bo kluby, które przy-
chodziły mi do głowy, były tylko dwa: Stodoła i Akwarium. Spotkałem
Ornette'a w hotelowym holu, gdzie budził sensację swoim zapewne bardzo drogim futrem. Futra nosiły wówczas „panienki" albo jeszcze ze dwie
żony panów z prywatnej inicjatywy, ale one specjalnie się z tym nie

afiszowały. Tak więc odebrałem z hotelu futrzastego Colemana i od razu natknąłem się na potworny problem transportowy. Radiotaxi nie istniało, taksówki, jeśli w ogóle były, to albo zjeżdżały na bazę, albo były już zajęte. Czarna rozpacz. Amerykanin w futrze patrzył na mnie aksamitnymi, pełnymi ufności oczami. Wiedziałem, że nie mogę go zawieść. Zrobiłem więc coś, co w nocnej Warszawie nie było niczym nadzwyczajnym. Rozpaczliwie zatrzymałem jadący do zajezdni pusty autobus komunikacji miejskiej. Kierowca, zaciekawiony albo rozpaczą moich gestów, albo ciemnoskórym futrzakiem, zatrzymał się potulnie tuż obok nas. Za umówioną naprędce sumę „zrzucił tablice" i po kawalersku dowiózł nas do Stodoły. Zachwyt wirtuoza saksofonu, który taczał się na zakrętach po pustym autobusie, wart był każdych pieniędzy.

Dodatkową atrakcją Jazz Jamboree były organizowane nocami jam sessions, podczas których następowała silnie zakrapiana integracja jazzmanów z różnych stron świata. Jednym z fenomenów podziwianych przez wszystkich był pewien muzyk radziecki (czyli Rosjanin z ZSRR), który podczas tych nocnych spotkań grał ze wszystkimi we wszystkich możliwych stylach, wypijał wszystko, co się dało, i udawał się do hotelu jako jeden z ostatnich. Fenomenem było jednak to, że zaledwie po paru godzinach, następnego ranka, siedział już świeżutki, wypoczęty na śniadaniu, tak jakby przespał jak dziecko całą noc. Krążyły plotki o jakimś jego magicznym sposobie na regenerację organizmu. Postanowiono to sprawdzić. Specjalnie wybrana delegacja pod pozorem potwornie ważnej sprawy wybrała się do pokoju Rosjanina sporo przed śniadaniem. Nieprzytomny muzyk wpuścił ich do pokoju, po czym poprosił przez telefon o to, co zwykle. Tym, co zwykle, okazała się szklanka wrzątku, do której dzielny jazzman wrzucił całą zawartość tekturowej paczki herbaty, po czym wypił pozostający nad fusami czarny napar. Już po chwili był jak nowy. Wesoły i rozmowny. Z żalem muszę powiedzieć, że nie znam jego dalszych losów.

Podczas mojej przygody z Jazz Jamboree spotkałem największe światowe gwiazdy, ale jak z moich tu zamieszczonych wspomnień wynika, miałem również okazję poznawać ich słabości i kaprysy. Jednym z oczywistych napędów stosowanych przez jazzmanów był alkohol. Do dziś wspominam przygodę, którą przeżyłem z rewelacyjnym amerykańskim perkusistą Elvinem Jonesem. Jones zdecydowanie nie stronił. Czekaliśmy na rozpoczęcie koncertu w garderobie na zapleczu Sali Kongresowej. Muzyk poprosił o zorganizowanie mu jakiegoś wina czy piwa, bo chciał się wewnętrznie rozgrzać. Nie było z tym większego kłopotu, tym bardziej że w tej części Pałacu Kultury mieściła się również rosyjska restauracja, wyposażona we wszystko, co jazzmanowi może być potrzebne. Jones wypił to, co mu dostarczono, gwarząc kulturalnie ze mną i przygodnymi znajomymi. Gdy dowiedział się, że napoje przyniesiono z radzieckiej restauracji, zapytał, czy nie lepiej byłoby kupić tam coś oryginalnego, na przykład gruziński koniak. Zainteresowani radośnie potwierdzili i w krótkim czasie Elvin Jones degustował ten trunek. Był już wyraźnie pod wpływem, ale nie przerywał konsumpcji.

Przy drugiej butelce koniaku pojawił się w garderobie Michał Urbaniak, który został zaproszony do degustacji, ale wiele nie skorzystał, ponieważ Jones miał już bardzo mało koniaku i na wszelki wypadek kazał otworzyć jeszcze butelkę wódki. Zachowywał jednak całkowitą przytomność umysłu, tłumacząc Michałowi, że z alkoholem trzeba bardzo ostrożnie, bo to fatalnie wpływa na wątrobę. Zbliżał się moment występu perkusisty. Michał Urbaniak, widząc, że Jones jest coraz miększy, dyplomatycznie wycofał się z garderoby, pozostawiając mnie z – co tu dużo ukrywać – kompletnie nieprzytomnym czarnoskórym muzykiem. Na moje przypomnienie, że za parę minut musi wyjść na scenę, zapytał, czy nie mam piwa, i zaczął grzebać w ogromnej blaszanej skrzyni, w której miał setki pałek perkusyjnych, szczotek i innych przyrządów. Elvin Jones był ode mnie dużo starszy i dużo bardziej pijany, ale przeczuwając straszliwy skandal, wziąłem go na plecy i zacząłem wlec w stronę sceny. Wsadziłem mu do ręki jakieś pałki

Bez względu na stan organiz-mu Elvin Jones bębnił genial-nie. W 1972 roku w Sali Kongresowej był bardziej spocony

i wypchnąłem przed publiczność. I zdarzył się cud. Ci ludzie żyją światłami, koncertem, publicznością. Pijaniutki Jones dotarł do swojego stołka za bębnami, wytarł ręcznikiem twarz, z której płynęły strumienie potu, i zaczął grać, i to grać genialnie. Podejrzewam, że na trzeźwo wypadłby dużo słabiej. To bardzo niepedagogiczna opowieść, ale daję słowo, że w stu procentach prawdziwa.

Radiomann

Słuchanie muzyki, rozmawianie o niej, czytanie o niej i ciągłe jej poznawanie nie wystarczało.

Pewnego dnia uchyliła się furteczka, za którą była możliwość propagowania mojego ukochanego rock and rolla. Ta furteczka mieściła się w budynku dawnej YMCA przy ulicy Konopnickiej.

YMCA to nie tylko tytuł gejowskiego hymnu wylansowanego przez zespół Village People. To również skrót od angielskiej nazwy Young Men's Christian Association – Związku Chrześcijańskiej Młodzieży Męskiej. Ta założona w Londynie w połowie XIX wieku organizacja miała na celu wspomaganie duchowego i fizycznego rozwoju młodych mężczyzn. Działała również w Polsce. Jakoś tak się historycznie ułożyło, że w okresie powojennym, kiedy organizacje chrześcijańskie nie miały w PRL-u specjalnie zielonego światła, budynek objęli we władanie harcerze. Szalenie dbająca o kontrolę nad mediami władza ludowa, o dziwo, zaufała harcerzom i zezwoliła im na uruchomienie ich własnego nadajnika z własnym programem. Był on oczywiście tak jak wszystko inne obserwowany i cenzurowany, ale z uwagi na ograniczony zasięg (fale krótkie) harcerskie radio robiło wrażenie miejsca, w którym nieco więcej wolno.

Z mojego punktu widzenia był to rajski zakątek, w którym bez większego skrępowania można było prezentować anglojęzycznych wykonawców. Doskonale pamiętam pierwsze wizyty w tym radiu i fascynacje każdym kawałkiem sprzętu nagrywającego czy odtwarzającego. Rozgłośnia Harcerska była oczywiście biedną kuzynką prawdziwego radia i różne magnetofony i mikrofony w stanie bardzo zużytym dostawała od niego w spadku. Niemniej pełna była oddanych sprawie fanatyków, którzy utrzymywali ten cały sprzęt w stanie używalności. Nie było oczywiście mowy o nadawaniu audycji na żywo, wszystko było nagrywane, ale zanim zostało nagrane, musiało jeszcze zostać napisane. Wszystkie te przeszkody warto było pokonać, aby usłyszeć własny głos z odbiornika.

Wstępną propozycję współpracy przyjąłem z zachwytem, ale i z wielkim niepokojem, czy w gronie doświadczonych redaktorów moje próby zostaną zaakceptowane. Bardzo się cieszę, że moja pierwsza audycja nie została nigdzie zachowana. Do dziś pamiętam potworny wysiłek, z jakim dukałem przemądrzałe zdania na temat Donovana (konkretnie – płyty *Fairytale* wydanej w 1965 roku) i jakieś mętne próby porównania go do Boba Dylana, którego bardziej znałem z opowieści niż z prawdziwych nagrań. Jakimś cudem jednak ten Donovan przyniósł mi szczęście. Audycja nie tylko została wyemitowana, ale jeszcze powtórzona i droga do złotego mikrofonu stanęła przede mną otworem.

Te harcerskie próby pewnie stałyby się ślepą uliczką, gdyby nie zjawisko, które na trwałe wpisało się w historię polskich mediów. Tym zjawiskiem był Program III Polskiego Radia. Już od początku był czymś elitarnym, choćby ze względu na zakres fal, na których go nadawano. UKF był czymś nowym. Większość odbiorników radiowych miała jedynie fale długie, średnie i krótkie. Trójki mogli więc słuchać tylko wybrańcy posiadający najnowocześniejszy sprzęt, do tego jeszcze odpowiednio zlokalizowany geograficznie, bo nadajniki UKF działały tylko w paru większych miastach i miały niewielki zasięg. Ale to już było prawdziwe radio. Szefowie Trójki, szukając nowych ludzi do współpracy, w naturalny sposób zwrócili uwagę na radio harcerskie, licząc, że młodzi ludzie tam występujący są już po pierwszej wstępnej obróbce dziennikarskiej. Dzięki temu któregoś dnia minąłem z dumną miną uzbrojonego wartownika straży przemysłowej przy ulicy Myśliwieckiej 3/5/7 i znalazłem się w pokojach redakcji muzycznej Programu III.

Myślałem, że skoro mój historyczny radiowy wykład o Donovanie ujrzał światło dzienne, to zaraz zabiorę się do przygotowywania szeregu

następnych interesujących audycji. Bardzo się pomyliłem. Zasada panująca w tym radiu była taka, że antena, czyli występ przed mikrofonem, jest
największą nagrodą, na którą trzeba było mozolnie zapracować. Miałem
szczęście, bo trafiłem na fantastycznego gościa, zastępcę szefa redakcji
muzycznej, Andrzeja Stankiewicza. Andrzej czuł radio jak mało kto, do
tego jeszcze był muzykologiem, a jeszcze do tego umiał pisać i mówić po
polsku. Pierwszy stopień wtajemniczenia stanowiły krótkie tekściki ilu-
strowane jakąś piosenką, nazywane wówczas wstawkami, które po dokładnym przeanalizowaniu przez Andrzeja były umieszczane w programie
magazynu muzycznego, takiego jak na przykład *Klub grającego krążka*. Inna
forma szlifowania umiejętności to pisanie „zapowiedzi". Była to niestoso-
wana już dzisiaj praktyka przygotowywania wprowadzających tekstów do
małych bloczków muzycznych, które nie były pełnymi autorskimi audy-
cjami, tylko wypełniaczami pewnych luk w programie. Te zapowiedzi były
czytane przez zawodowych spikerów, a nie przez redaktorów muzycznych.
Zresztą spikerzy czytali również teksty wielu audycji, ponieważ prawo do

zasiadania przed mikrofonem dawała karta mikrofonowa – glejt, o którym marzył każdy radiowiec.

Żeby otrzymać kartę mikrofonową, trzeba było zdać trudny egzamin. Obejmował on zadania dziennikarskie i niemal aktorskie. Trzeba było wykazać się umiejętnością wyraźnego czytania (dykcja), regulowania oddechu, improwizowania na podstawie jakiejś notatki, prawidłowego wymawiania obcojęzycznych nazw i tak dalej, i tak dalej. Karta mikrofonowa miała szereg kategorii, ta najniższa uprawniała do „występu przed mikrofonem z własnym tekstem". Olimp to była kategoria S, czyli prawo do czytania – uwaga! – nawet wiadomości, i to – uwaga! – na żywo. Zaczynałem naturalnie od tej najniższej kategorii, ale muszę się pochwalić, że przyszedł kiedyś moment, gdy przyznano mi kategorię S. Rozczaruję tu tropicieli zdrajców narodu, nigdy nie czytałem wiadomości ani nie przeprowadzałem transmisji z obrad plenum KC PZPR.

Polityka była zresztą wszechobecna w radiu, toteż należało się bardzo pilnować, żeby się nie wpakować na jakąś minę. Charakter moich zainteresowań i rodzaj muzyki, którą proponowałem, zapewnił mi dość bezpieczną niszę w Trójce. Bezpieczną dlatego, że redaktorzy na wszelki wypadek nie dawali mi żadnych zadań sąsiadujących z ważnymi komunistycznymi świętami typu 1 Maja czy 22 Lipca. Mogłem więc czuć się jak na owe czasy w miarę swobodnie. Śruba, czyli tak zwane ograniczenia, zależnie od koniunktury obowiązywała bardziej lub mniej. Zabawa z cenzorami nominalnymi i samozwańczymi trwała okrągły rok. Szczególnie ciekawe figury gimnastyczne wykonywaliśmy wtedy, kiedy nasza władza nie lubiła Amerykanów bardziej niż zwykle. Wtedy, co oczywiste, gwiazdy ze Stanów znikały z anteny, ale wykorzystywaliśmy całkowitą niewiedzę kontrolerów i mniej znani amerykańscy artyści natychmiast stawali się Anglikami. Nie znaczyło to wcale, że Anglicy mieli bez przerwy zielone światło. W końcu to też imperialiści i źli ludzie. Kiedy Anglicy podpadali równie mocno jak Amerykanie, następowała zadziwiająca przemiana i nagle pojawiało się bardzo dużo nagrań z Australii, a nawet z Nowej Zelandii. Strażnicy politycznej poprawności nie byli jednak kompletnymi debilami, więc bywały okresy

Zespół Programu Krajowego   Nr 155

KARTA MIKROFONOWA kat. I

Uprawnia do występowania przed mikrofonami PR
w zakresie ustalonym regulaminem.

Ob.   Wojciech MANN

                            Dział Realizacji i Emisji
Płaca Maj 1974   podpis

KOMITET DS. RADIA I TELEWIZJI
ZESPÓŁ POLSKIEGO RADIA   Nr 141/84

KARTA MIKROFONOWA kat. S

Uprawnia do występowania przed mikrofonami PR
w zakresie ustalonym regulaminem.

Ob. Wojciech MANN /współprac./

                        Przewodniczący Komisji
Data 30.05.84   podpis
WRiTV zam. 130/U/P   Bogusław Tworek

zakazów jeszcze surowszych. Ratowały nas wtedy płyty śpiewających po angielsku Holendrów czy Szwedów, a jak śruba dokręcała się jeszcze bardziej, słuchacze mogli podziwiać popisy gwiazd francuskich i włoskich.

Andrzej Stankiewicz był pewnego rodzaju parasolem ochronnym, ale tylko do czasu. Pewnego dnia dowiedziałem się, że zostaje przeniesiony do

Programu I. Zniknął nie tylko z anteny, ale i z redakcji Trójki, i zaczął rezydować w odległych salonach przy Woronicza. Ten niby awans był początkiem końca jednego z największych ówczesnych talentów radiowych. Zaplątany w beznadziejne układowo-korytarzowe intrygi i „ustalenia", gasł cicho i bez protestu. Naturalną i typowo polską koleją rzeczy zostałem w Trójce uznany za „człowieka Stankiewicza", a więc poddany tępieniu. Cała moja pięknie kwitnąca działalność antenowa została sprowadzona do jednej jedynej audycji zatytułowanej *Mój magnetofon*.

Mój magnetofon stanowił coś całkowicie absurdalnego z punktu widzenia dzisiejszych praw autorskich, ponieważ był audycją dla fonoamatorów. Krótko mówiąc, autor podawał wykonawców, tytuły i często czas piosenek, po czym na trzy-cztery zainteresowani włączali magnetofony i nagrywali różne rarytasy muzyczne. Nie chcąc mnie marginalizować brutalnie, czy zwyczajnie wywalić z Trójki, szef redakcji muzycznej (dobrze pamiętam jego nazwisko) wymyślił sposób perfidniejszy i w jego mniemaniu skuteczny. Przydzielił mi oto *Mój magnetofon*, ale z zaleceniem, że mam prezentować wyłącznie muzykę latynoamerykańską. Myślał, że się poddam, bo przecież: a) nie znałem ani hiszpańskiego, ani portugalskiego, b) nie miałem ani jednej płyty z takimi nagraniami, c) nie miałem zielonego pojęcia, co oni tam w ogóle nagrywają. Sympatyczny redaktor, którego nazwisko pamiętam, nie docenił młodego redaktora Wojciecha. Zacisnąłem zęby i w dość krótkim czasie nawiązałem kontakty z większością możliwych ambasad i konsulatów, głównie krajów Ameryki Południowej, a przede wszystkim, choć nie wiem dlaczego, Peru. Różnego rodzaju *attaché* kulturalni byli wstrząśnięci tą nagłą falą zainteresowania ich muzyką i w krótkim czasie miałem w mieszkaniu sterty płyt z muzyką Indian południowoamerykańskich, różnych pasterzy, ale i gwiazd muzyki pop. Pamiętam, że ci z Peru bardzo lubili gwizdki.

Tym samym plan redaktora spalił na panewce i stałem się ekspertem od muzyki pampasów, lam i *vaqueros*. Przetrzymałem i jego, i paru innych wiernych sługusów cenzury. Tych pozostałych nazwiska też dobrze pamiętam, tym bardziej że niektórzy po korekcie zabarwienia nadal działają

Nikt, kto nie żył w tamtych czasach, nie wie, ile trudu kosztowało zdobycie zachodniej płyty analogowej i jaką pozycję towarzyską takie trofea zapewniały w mediach. Ingerencje, szczególnie tych samozwańczych cenzorów, były chwilami jeszcze bardziej dotkliwe i głupie niż cenzorów instytucjonalnych. Na przykład przez długi czas obowiązywał zakaz nadawania nagrań amerykańskiej grupy Kiss. Powodem było to, że w logo Kiss ostatnie dwie litery wystylizowane były podobnie jak znak hitlerowskiej formacji SS. Dodam, że w radiu nie było tego widać, a Kiss nie śpiewali ani o Hitlerze, ani o UPA, ani o żadnych innych drażliwych politycznie sprawach. Poważniej już wyglądała programowa blokada założona na muzykę punkową. Ważna pani redaktor muzyczna, której nazwisko pamiętam, miała karteczkę z wypisanymi nazwami zespołów punkowych i porównywała je z programami muzycznymi audycji. Te z karteczki nie miały prawa pojawić się na antenie. Aby oddać poziom absurdu, w jakim przychodziło tam działać, powiem, że przygotowałem kiedyś audycję złożoną wyłącznie z nagrań zakazanych wykonawców z karteczki. Wierzcie lub nie, ale w całości poszła na antenie. Użyłem pewnego wybiegu, robiąc oko do słuchaczy, ponieważ przygotowałem tę audycję specjalnie na dzień 1 kwietnia, że niby oni są słabi, a my tylko dzisiaj udajemy, że są dobrzy, a może też odwrotnie, w każdym razie z dumą usłyszałem tych wszystkich punkowców na antenie.

Omijanie różnych raf ułatwiał nam fakt, że wiedza na temat naszej muzyki, a także znajomość języka angielskiego były u kontrolerów znikome. Dziś nie zrobi to na młodym człowieku żadnego wrażenia, ale ci, którzy pamiętają tamte czasy, pewnie się zdziwią, że żaden oficjalny protest nie spotkał piosenki sierżanta Barry'ego Sadlera zatytułowanej *The Ballad of the Green Berets*. Przypomnę młodzieży, że blok socjalistyczny jak jeden mąż przeciwstawiał się amerykańskiej obecności w Wietnamie, a sierżant Sadler śpiewał peany na temat amerykańskich komandosów, którzy z całych sił tłukli tychże Wietnamczyków. Mimo bardzo niewłaściwego wydźwięku „Ballada o zielonych beretach" bezproblemowo tkwiła na liście przebojów Rozgłośni Harcerskiej.

Pięć piosenek o najwyższym stopniu okropności

1. **Goombay Dance Band**, *Sun of Jamaica* – zdumiewające, jak ten niemiecki zespół zdołał wielu wrażliwym ludziom obrzydzić uczucie między kobietą a mężczyzną, słońce, plażę, Jamajkę i jeszcze parę miłych rzeczy.

----

2. **William Shatner**, *Lucy in the Sky with Diamonds* – zdumiewające, jak popularny kapitan Kirk ze statku kosmicznego Enterprise w serialu *Star Trek* mógł uwierzyć w swój wszechstronny talent i zmasakrować genialne dzieło Beatlesów.

----

3. **The Cheeky Girls**, *Cheeky Song* (*Touch My Bum*) – zdumiewające, jak dwie bliźniaczki z Rumunii mogły sprzedać blisko milion płyt z tym gniotem.

----

4. **Funky Filon & Kaja Paschalska**, *Mała Chinka* – zdumiewające, że po wysłuchaniu tej paranoi żadne państwo azjatyckie nie wypowiedziało Polsce wojny, a przynajmniej nie zażądało ekstradycji Filona i Paschalskiej.

----

5. **Eilert Pilarm**, **dzieła wszystkie** – zdumiewające, że słuchacze mojej audycji w Trójce nie tylko wytrzymują koszmarnie fałszowane przeboje tego szwedzkiego Elvisa Presleya, ale wciąż proszą o jeszcze.

Mój piosenkowy

Sturm und Drang

Miałem w swoim życiorysie

także incydent poetycki.

Wspomniany przeze mnie na tych stronach Andrzej Stankiewicz zaproponował mi kiedyś współtworzenie tekstu pieśni, którą z racji swoich kontaktów miał możność zaoferować komuś do zaśpiewania. Nie bardzo pamiętam, co w końcu napisaliśmy, ale wydaje mi się, że nie była to bardzo dobra piosenka. Odkryłem jednak przy tej okazji, że mam jakąś elementarną umiejętność rymowania i dopasowania słów do muzyki. Pozwoliło mi to poczuć się jeśli nie poetą, to przynajmniej tekściarzem. Zacząłem dla zabawy układać jakieś strofki i tu i ówdzie pojawiły się proste, ale w miarę zgrabne kawałki.

Tenże Andrzej Stankiewicz poznał mnie kiedyś z młodziutką i jeszcze nieznaną Anną Jantar oraz jej mężem Jarkiem Kukulskim. Był początek lat siedemdziesiątych i obydwoje dopiero stawiali pierwsze kroki w Warszawie. Ania była uroczą, spokojną dziewczyną, bez reszty ufającą mężowi w sprawach artystycznych. Gorzej było ze sprawą tekstów – żadne z nich nie miało w tym kierunku inklinacji. Rynek muzyczny w Polsce, jakkolwiek o wiele wówczas uboższy, rządził się podobnymi jak dziś prawami – młody wykonawca bez widocznego dorobku miał małe szanse na repertuar autorstwa renomowanych twórców, co dawało sporą szansę takim osobnikom jak ja. Byłem osłuchany z zagranicznymi przebojami, a do tego jeszcze w większości wypadków rozumiałem ich teksty, co dawało mi pozycję poważnego specjalisty. Od słowa do słowa dogadaliśmy się jak piosenkarka z poetą i zacząłem coś tam dla Ani skrobać. Zawodowych twórców tekstów piosenek było wówczas może i sporo, ale w większości stanowili dość hermetyczną grupę, dzielącą skromny zaiksowy tort umiejętnie między siebie. Jako dość nowe zjawisko na tym podwórku otrzymałem

pewien kredyt zaufania i zanim się obejrzałem, już pisałem jakieś wier-
szydła dla Urszuli Sipińskiej, Krzysztofa Krawczyka, Jerzego Połomskie-
go i paru innych. Jednak największym sukcesem była lekko grafomańska
pieśń o muszli, która nie tylko szumi, ale i śpiewa, oczywiście o miłości.
Szło to mniej więcej tak:

Poszukaj muszli na brzegu morza,
w brunatnych algach, zielonej wodzie,
nadejdzie chwila, gdy dojrzysz ją wreszcie,
choć taka chwila nie zdarza się co dzień,

więc weź tę muszlę i niech ją osuszy
wiatr, który dziewcząt włosy rozwiewa,
gdy w cieple lata ze snu się obudzi,
nieśmiało, nieśmiało, nieśmiało zaśpiewa.

Powtórzyłem słowo „nieśmiało" nie dlatego, że innych słów nie znałem. Przecież mogło być na przykład: „nieśmiało malutka muszelka zaśpiewa", albo: „to śmiało i głośno muszelka zaśpiewa". Jako poeta mam w zanadrzu jeszcze kilka wariantów, ale trzykrotne świadome zastosowanie „nieśmia-ło" wydaje mi się najtrafniejsze. Po prostu podkreśla potencjał liryczny strofy, wskazując na ogromną wrażliwość autora i uniwersalne znaczenie dzieła. Później następował refren, w którym najistotniejszą częścią były słowa „na na na na na" pięknie dopełniające część fabularną:

Że znajdziesz [na na na na na]
mnie znowu [na na na na na],
zatrzymasz [na na na na na]
przy sobie [na na na na na],
że niebo [na na na na na]
błękitne [na na na na na]
zakocha [na na na na na]
się w tobie [zakocha się]...

Potem następowała jeszcze zwrotka i wielokrotnie powtarzający się re-fren. Świetną przebojową muzykę napisał do tej mojej muszli Piotr Figiel, a zaśpiewał to wszystko mało wtedy znany krakowski skrzypek Zbigniew Wodecki. Ku mojemu zachwytowi utwór został chyba radiową piosenką miesiąca, a jego wpływ na kulturę obywateli polskich wciąż jest widoczny. Zbyszek do dziś potrafi z rozpędu zaintonować tę pieśń, a nawet podobno wykonuje ją z pamięci na koncertach.

Daję uroczyste słowo honoru, że zawsze miałem ogromny dystans do tej mojej twórczości i pewnie bym z niej dużo wcześniej zrezygnował, gdyby nie pewien niezwykły splot wydarzeń. Przyszedł do mnie Piotrek Figiel z następującą propozycją: jest Międzynarodowy Festiwal Piosenki w Meksyku, „a ja mam napisany superfestiwalowy kawałek". Problem w tym, że tego nie można śpiewać po polsku. Ty jesteś dobry z angielskiego, to machnij mi angielski tekst. Spytałem, ile mam czasu na machnięcie. Figiel powiedział, że w zasadzie to pięć–sześć godzin. Wiedział, że wpadnę w panikę, i postanowił mnie rozmiękczyć, wyciągając z torby jakiś bardzo elegancki winiak czy koniak. Poza tym zarzucił mnie pochlebstwami, co, jak wiadomo, każdemu poecie robi dobrze. Był też w tym towarzystwie niejaki Tadzio Romer, kręcący się przy polskim „show-biznesie" disc jockey. Najwyraźniej miał jakiś interes w powstaniu tego tekstu, bo bardzo mnie nakłaniał, żebym siadł do pisania. Nie wiem, czy w wyniku namów moich kolegów, czy tego eleganckiego trunku, ale moje obawy ustąpiły dość szybko. Poprosiłem tylko, żeby sobie poszli i mi nie przeszkadzali, i zacząłem tworzyć dramatyczny utwór, w którym zrozpaczona kobieta pyta mężczyznę, czy już na pewno jest po wszystkim, i sama sobie w końcu odpowiada, że jeszcze nadejdą lepsze dni. Stąd optymistyczny tytuł *Bright Days Will Come*. Przejrzałem parokrotnie to, co napisałem, usunąłem szereg gramatycznych i ortograficznych błędów wywołanych pośpiechem, po czym zawiadomiłem zleceniodawców, że robota wykonana. A wyszło tak:

Bright Days Will Come (P. Figiel, W. Mann)

Do we
Do we have to say it's over
Once more
Like in winter
Must we
Must we say it's really over
Again
Like in summertime
When the sun spread gold around you

When the world was all within you
Come and touch me again
And never let me go
What a time it was
When you said you'd stay
Trust me, believe me
Shall we ever be friends again
Shall we ask the world to sing
Only for us
Don't be sad when you're with me
So please
Don't think
And forget the days that passed
Just try not to say
The words that make me cry
Never more
Never see my tears return
Never leave me
Let me feel your hands again
Holding mine
And I hope that bright days soon will come
If we don't say, don't say goodbye

Piosenki zaczęła się uczyć Urszula Sipińska, a utwór, razem z tym moim dramatycznym tekstem, został w dalekim Meksyku zaakceptowany. Nasi polecieli na drugą półkulę. Byłem bardzo dumny, że jacyś Meksykanie usłyszą moje dzieło, i chodziłem tą dumą przepełniony aż do momentu, kiedy przyszła wiadomość zza oceanu. Nie dość, że piosenka się spodobała, to jeszcze zajęła drugie miejsce i zdobyła nagrodę finansową w prawdziwych dolarach. Było to wydarzenie tak nieprawdopodobne, że do powrotu polskiej delegacji po prostu w to nie wierzyłem. Wszystko zostało jednak potwierdzone. Co prawda przy podziale nagrody odbył się

Urszula Sipińska oblegana przez fotore-
porterów w Opolu. W ciemnych okularach leży CKOMS (Człowiek Który Odebrał
Mi Saksofon) – Marek Karewicz!

jakiś skomplikowany szacher-macher, w wyniku którego okazało się, że nie jestem autorem, tylko współautorem tekstu, a suma do podziału jakoś drastycznie się skurczyła, ale wystarczyło, żebym otworzył sobie legalne konto dewizowe w polskim banku, co było wydarzeniem na miarę lądowania kosmitów na Powiślu.

Szum wokół meksykańskiego sukcesu spowodował, że piosenka laureatka została zaproszona na festiwal opolski. I tu zaczęły się schody. Organizatorzy Opola wręcz zażądali, żebym napisał polski tekst. Zdenerwowała mnie zarówno apodyktyczność tej prośby, jak i jej brak logiki. Wszakże meksykańskie jury nagrodziło piosenkę z moimi angielskimi słowami, a więc nie widziałem powodu, żeby ze względów ideologicznych przerabiać ją na polską. Nie wiem, czy miałem absolutną rację, ale uparłem się jak cap i zbierając zewsząd gromy, pozostałem przy swoim. Mimo że do dziś nie wiem, jak bardzo słuszna była ta decyzja, jestem z niej bardzo dumny, gdyż sam jeden dałem odpór całej tej festiwalowo-pagartowsko--ideologicznej maszynerii. Dzięki temu uporowi wszelkie edycje mojego nagrodzonego dzieła ukazywały się w Polsce we właściwej, anglojęzycznej wersji. Żeby jeszcze bardziej podkreślić swój internacjonalizm, do *Bright Days Will Come* dorzuciliśmy z Piotrem jeszcze jedną, wcale moim zdaniem nie gorszą, piosenkę *The Memory*. Też nagraną po angielsku, również przez Urszulę Sipińską:

The Memory (P. Figiel, W. Mann)

Rain
The cloudy sky touches the earth
Reflects its face in countless pools
Bare trees are dancing in the wind
So sad
The day is done
Shades of night creep all around
Deserted streets drowning in gloom

Display wet cobblestone bald heads
That glisten under yellow lamps...
And suddenly
Your half forgotten face
Your smile, your voice and your embrace
Some words that meant so much
Your kiss and lovin' sudden touch
The world cheers up again
No night, no wind, no rain
I am no more alone
And then...
The memory is gone
Is gone!
Rain, rain
Rain
The cloudy sky touches the earth
Reflects its face in countless pools
Bare trees are dancing in the wind
So sad...

Jako że ludzi piszących do rymu po angielsku było w Polsce zdecydowanie mniej niż tych, którzy piszą po polsku, mogłem stać się monopolistą w anglojęzycznym piosenkopisaniu. Robiłem to zresztą z dużo większą przyjemnością, niż gdybym pisał po polsku. Sukcesu meksykańskiego już nie powtórzyłem, ale mogę się pochwalić tekstami piosenek, które weszły do finału popularnego kiedyś w Europie festiwalu w Castlebar w Irlandii. Odbywający się regularnie od 1966 roku, budził spore zainteresowanie wśród polskich artystów i twórców. Jego organizatorzy, zapewne chcąc nadać imprezie jak najbardziej międzynarodowy charakter, chętnie przyjmowali zgłoszenia z tak egzotycznych krajów jak Polska. Z kolei dla nas Irlandia to był prawdziwy Zachód i nagrody w prawdziwych pieniądzach. Nie tak znowu wielkich, gdyż początkowo pula nagród wynosiła około stu funtów angielskich, ale starzy Polacy doskonale wiedzą, co to wówczas znaczyło mieć sto funtów. W Castlebar wystąpiła między innymi Ania Jantar. Pojechał tam również w 1979 roku Krzysztof Krawczyk i wykonał – uwaga! – moją piosenkę *Never Call It a Day*. Piosenki tej dawno już nie słyszałem, więc wydaje mi się, że była bardzo przebojowa i zgrabna.

Oto tekst tego utworu, odnaleziony przez irlandzkich archeologów:

Never Call It a Day (E. Berg, W. Mann)

There comes a time when everything goes wrong
And nothing helps you, neither drink nor song
Before you start complaining of your bad luck
See if you are sure there is nothing that can be done
Never call it a day before sundown
Don't throw tickets away before a ride
Don't cry over spilled milk, get a new pint
Let the hands of a clock make one more round
Don't change partners until the music stops
Till you're sure that you're dead – don't call the cops
Never find a new man while I am around
If you feel you are wrong – don't say you're right
There is much more to life than silly game
You better cool it down and try to smile
Before you learn to keep your sorrows at bay
Let me tell you girl, you should try and do it my way:
Never call it a day before sundown…

Nie tylko tworzyłem anglojęzyczne dzieła, ale też dokonywałem różnorakich tłumaczeń. Na potrzeby jakiegoś eksportowego programu przygotowywanego dla telewizji szwedzkiej przełożyłem na angielski kilkanaście polskich przebojów z repertuaru takich gwiazd, jak Jerzy

Połomski, Halina Kunicka czy Stan Borys. Niedawno spotkany przeze mnie ten ostatni przyznał, że długo jeszcze śpiewał swoją *Jaskółkę uwięzioną* z moim angielskim tekstem. W sumie jednak nie zostałem polskim Byronem. Zawiniła tu chyba moja ciekawość świata i różnych zajęć. Pisanie po angielsku bawiło mnie i sprawiało przyjemność, ale kusiły mnie też inne rzeczy, a poza tym kiedy tylko spoglądałem na teksty moich idoli ze Stanów czy z Anglii, to te, które ja tworzyłem, wydawały mi się mizerną amatorszczyzną.

Moja działalność poetycka, wsparta tak dużym sukcesem jak nagroda w Meksyku, utorowała mi drogę do organizacji zrzeszającej polskich twórców, a mianowicie do ZAiKS-u. Nie chodzi tu o to, że byłem kolekcjonerem różnych członkowskich legitymacji, ale o to, że ZAiKS poza prestiżem zapewniał ochronę praw autorskich, a co za tym idzie, mówiąc zupełnie prozaicznie, kasę. Słyszałem legendy o zarobkach kompozytorów piosenek i autorów tekstów, więc czułem, że bogactwo jest tuż tuż za progiem. Jakby tego było mało, ZAiKS chronił moje prawa również poza granicami Polski, co w czasach totalnej reglamentacji, a właściwie niemal całkowitego zakazu posiadania dewiz, było uchyleniem drzwi do konsumpcyjnego raju. (Nie mam tu na myśli szaleńczych zakupów w butikach stolic światowych, ale możliwość kupna prawdziwego wina czy nie tak sinej jak krajowe koszulki polo w Peweksie). Szczególnie właśnie po meksykańskim triumfie liczyłem na spory międzynarodowy sukces. I nie przeliczyłem się. Bodaj rok czy półtora po przystąpieniu do ZAiKS-u otrzymałem elektryzującą wiadomość następującej treści: uprzejmie informujemy, że na pańskie konto dewizowe wpłynęły następujące waluty: dolary amerykańskie, franki szwajcarskie (nie jedna, ale kilka koszulek polo!), marki niemieckie i fińskie oraz korony szwedzkie (tu zacząłem przebierać w markach samochodów!) na łączną sumę… 17 złotych i 40 groszy.

Pięć zdumiewających tekstów piosenek

1. *Klip-klip, klap-klap* – Maria Koterbska śpiewa o tym, że napotkała z rana osiołeczka tarpana. „Klip-klip, klap-klap – osiołek daje znak". Chyba daje znak, że nie jest osiołeczkiem, ale o tym już w piosence nie ma.

---

2. *Smutno mi* – to w całości smutna piosenka (?), szczególnie zasmuca mnie fragment, gdy artysta Verba mówi: „smutno mi, bo te rymy zostały napisane w mniej niż pół godziny, smutno mi, bo jestem wesolutki, elemele eeelemele-dutki".

---

3. *Co ty, królu złoty* – troszkę dzisiaj mniej znana pieśniarka Monika Borys śpiewa do złotego króla w różnych językach i o różnych sprawach. Ciekawi mnie zawarta w tekście informacja o tym, że tamy miękną, gdy on do niej czule mówi. Gdy tama jest już całkiem miękka, to on albo ona, dokładnie nie wiadomo, staje się numerkiem *one*. Piosenka ta uczy, bawiąc, i bawi, ucząc.

---

4. *Mała Chinka* – to dzieło już występuje w innym miejscu, ale można o nim napisać pracę naukową. Tekst mówi o małej Chince, cziku czikulince, która jest zasadniczo z Wietnamu, a w Polsce handluje na bazarze tekstyliami. Brat Chinki daleko na Wschodzie przykręca śrubki, ale nie wiemy do czego. Natomiast Chinka z Wietnamu niby mieszka w Polsce, ale za pośrednictwem pana Filona i pani Paschalskiej pozdrawia polskiego chłopczyka i polską dziewczynkę z dalekich stron, więc jednak chyba z zagranicy, gdzie jak się dowiadujemy, komornik jej wszedł na dom. Po zapoznaniu się z tekstem tej piosenki komornik zapewne z tego domu skoczył i się zabił.

---

5. Po analizie kolejnych tekstów zorientowałem się, że ta lista powinna mieć co najmniej kilkadziesiąt pozycji. Mając na uwadze Twoje, Czytelniku, zdrowie psychiczne, na pozycji piątej umieszczam losowo

wybrany fragment utworu *Po prostu miłość* grupy RH+. Na początku bohater mówi, że to znowu się stało, bo zakochał się tak, że aż go coś zabolało. W dalszej części wyznania padają brzemienne w treść słowa o tym, że:

> **złączymy się w parę jedną,**
> **będziemy przykładem miłości na pewno,**
> **chcę, byś była moją jedyną,**
> **chcę żyć dla ciebie i pić z tobą wino,**
> **zrobiłaś pierwszy krok, zbliżyłaś się i stało się to.**

Ciekawe, czy w związku z nazwą zespołu utwór ten powstał przed transfuzją, czy już po niej.

Pan Mann ——— ————

jest w Cannes ——— ————

Krążyło kiedyś takie powiedzenie, że jak uruchomiono w Polsce telewizję, to poszli tam pracować ci słabsi, którzy nie nadawali się do radia.

Radio zawsze było uznawane za intelektualnie dominujące, a telewizja była bardziej populistyczna i dosłowna. W dziedzinie, którą się zajmowałem, w drugiej połowie XX wieku telewizja specjalistów nie miała. Jeżeli już ktoś mówił do sensu o piosence, to był to na przykład Lucjan Kydryński, czyli gwiazda radia zaproszona do współpracy z telewizją. Miałem do telewizji stosunek niechętny i ostrożny. Pracujący tam ludzie, podobnie jak i dziś, szczególnie jeśli zajmowali jakieś poślednie stanowiska, potrafili traktować osoby „spoza" jak gorszy gatunek stworzeń. Natychmiastowa popularność, którą dawało pokazanie się przed kamerą jednego z dwóch istniejących w latach siedemdziesiątych programów, była dla słabszych psychicznie obywateli deprawująca. Telewizja wszystko mogła, wszędzie docierała, dla telewizji lokalne władze przygotowywały się tak samo jak na przyjazd pierwszego sekretarza. Towarzyszący temu wszystkiemu bardzo silny ładunek natrętnej ideologii robił z telewizji gościa niezbyt lubianego w wielu domach. Z drugiej strony niezwykła siła obrazu połączonego z dźwiękiem, możliwość oglądania we własnym domu filmów, przedstawień teatralnych i innych atrakcyjnych programów powodowały, że ten nielubiany gość był akceptowany i przy odpowiedniej selekcji propozycji pożyteczny.

Roman Waschko nie był częstym gościem na ekranach telewizyjnych, pamiętam raptem jeden czy dwa programy z jego udziałem, w tym i taki, w którym wystąpił z psami typu basset, pokazując, co powinni hodować ludzie z klasą. Znał jednak wszystkich, których należało w telewizji znać, i poruszał się po budynku na Woronicza całkiem swobodnie. Nie wspominałbym o tym tutaj, gdyby nie telefon, który odebrałem pewnego dnia. Nieznany mi żeński głos powiedział: „Łączę z redaktorem Walterem". Mariusz Walter to była już wtedy postać. Dostał we władanie spory kawałek telewizyjnej Dwójki i stworzył tam państwo w państwie nazywające się *Studio 2*. Był to niezwykle dynamiczny jak na tamte czasy i nowoczesny blok programowy, ze zdecydowaną przewagą pozycji rozrywkowych nad propagandowymi. No więc miła pani łączy z redaktorem Walterem, a redaktor Walter hipnotycznym głosem mruczy do mnie, że dzwoni z polecenia Romana Waschko i ma dla mnie propozycję. Potrzebny mu jest szef rozrywki w *Studio 2*, a słyszał o mnie sporo dobrego. Lekko zamurowany, nie bardzo wiedziałem, jak zareagować, więc zrobiłem to, co należy. Zagrałem na zwłokę i powiedziałem, że oczywiście bardzo mi miło, ale muszę się nad tą propozycją zastanowić. Walter aksamitnie mruknął aprobująco i powiedział: „Jasna sprawa. Zadzwonię za godzinę". To był jeden z jego patentów budujących mu opinię rzutkiego, świadomego swoich możliwości profesjonalisty, która, dodam, była w pełni zasłużona. Mimo wszystkich obaw dotyczących środowiska „telewizorów" postanowiłem zaryzykować i skoczyć na głęboką wodę.

Poważnie zestresowany pojechałem na ulicę Woronicza. Była to kraina nieznana, tajemnicza, a do tego bardzo odległa. W porównaniu z ulokowaną po sąsiedzku Trójką Woronicza była oddalona o wiele lat świetlnych i samo dotarcie tam wydawało mi się dużym wyzwaniem. Otrzymałem dość ogólne wytyczne dotyczące moich zadań („Chciałbym, żeby w *Studio 2* była dobra rozrywka, a nie jakieś snuje"), a także rzecz fundamentalną – pieczątkę. Trochę mnie zaniepokoiło, że użyta, uwidoczniała napis: „Wojciech Mann, kierownik redakcji programów eksperymentalnych". Mariusz Walter wyjaśnił mi, iż ten zagadkowy tytuł wynika stąd, że skoro w Programie II TVP istnieje już redakcja rozrywki, to dublowanie jej w *Studiu 2* byłoby zwiększaniem zawartości cukru w cukrze, czyli lekkim kwasem. A program eksperymentalny to może być wszystko i nikt się nie przyczepi. Udawałem, że rozumiem.

Następnie bez dalszych formalności nowy szef pokazał mi pokój, w którym miałem funkcjonować, i przedstawił mnie moim współpracownikom, a dokładniej – tym, którzy akurat przypadkiem znaleźli się w pobliżu. Od razu zorientowałem się z ulgą, że nie czeka mnie urzędniczy reżim siedzenia przy biurku od godziny do godziny. W grupie osób, z którymi przyszło mi pracować, byli ludzie barwni i różnorodni. Był Walter Chełstowski, późniejszy animator ruchu muzyki młodej generacji i sprawczy duch polskiego Woodstock, czyli Jarocina. Był tam również reżyser Andrzej Wasylewski, zapalczywy krakus, świetnie znający się na jazzie. Wasylewski omotał niemieckiego jazzowego guru Joachima-Ernsta Berendta i robił dla niego różne filmy o jazzie i jazzmanach. Jeździł w tym celu do bazy Berendta w Baden-Baden. Dzięki temu mogliśmy w nieskończoność powtarzać ten sam beznadziejny żart: „Dokąd jedziesz, Andrzej?", „Do Baden-Baden", „Nie musisz mi dwa razy powtarzać". I kupa śmiechu. No i największa gwiazda, Magda Umer.

Zadzierzgnięta w telewizyjnej redakcji znajomość, a potem, ośmielam się powiedzieć, przyjaźń, nie polegała jedynie na okazjonalnych rozmowach telefonicznych i kurtuazyjnych wizytach. Wielokrotnie współpracowaliśmy z Magdą na przeróżnych niwach. Jedną z niw okazał się teatr. W warszawskim teatrze Rampa wystąpiłem w wymyślonym przez Magdę dla Zbyszka Zamachowskiego spektaklu *Big Zbig Show*. Na zdjęciu, jako amerykański bogacz, pokazuję jej piękną przyszłość

Aż mi się nie chciało wierzyć, że artystka, uduchowiona piosenkarka, dała się włoczyć w ramy etatowego zatrudnienia w telewizyjnej redakcji. I tak naprawdę to się nie dała. Nie znała takiego pojęcia jak pracownicza dyscyplina, natomiast doskonale wiedziała, co to jest poezja, dobra piosenka, inteligentny żart i rozrywka na wysokim poziomie. À *propos* inteligentnego żartu, to nie powstrzymam się przed przytoczeniem ulubionego tekstu redaktor Umer. Kiedy Magda odbierała telefon, w którym pytano o kogokolwiek z redakcji, nie chcąc sobie zawracać głowy rozmową, odpowiadała niezmiennie: „Jest w sraczu", i kończyła połączenie. Te kontrastujące z powszechnie przyjętym wizerunkiem Magdy żarty nie przeszkadzały w tym, że jej programy, niby tworzone w wirze artystycznego nieładu, pokazywały świat ludzi wrażliwych, wyjątkowych i nie bardzo pasujących do wskazań, wytycznych i planów socjalistycznej ojczyzny. Walter do propozycji Magdy miał stosunek ambiwalentny. Z jednej strony wiedział, że każda jej obecność antenowa podnosi nasycenie *Studia 2* kulturą, z drugiej strony jego temperament nie zawsze wytrzymywał poetyckie piosenki i niespieszne rozmowy w programach redaktor Umer. Nazywał je, przypominam, snujami i pytał czasem, czy nie można by tych samych wartości przekazać w nieco żywszy sposób. Magda z fantastyczną odpornością niezmiennie odpowiadała, że nie, i robiła dalej swoje.

W programach *Studia 2* znalazła między innymi odzwierciedlenie jej ogromna miłość do Kabaretu Starszych Panów. Pan Jerzy Wasowski był już wówczas nieobecny, ale Jeremiego Przyborę Magda skłoniła do współpracy, w wyniku której powstały urocze programy telewizyjne, które, z racji mej funkcji, zatwierdzałem redakcyjnie. Pan Jeremi zdumiał mnie skromnością. Po ukończeniu każdego nagrania wypytywał mnie o moje odczucia i robił wrażenie człowieka niezbyt przekonanego o jakości tego, co tworzy. Byłem szczerze zażenowany, komentując efekty pracy takiego mistrza. Nie muszę dodawać, że robiłem to, pęczniejąc z dumy, że Starszy Pan w ogóle chce ze mną rozmawiać. Nasze niespecjalnie częste, ale miłe kontakty przerodziły się w trwałą znajomość. Z dumą mogę powiedzieć, że bywałem w domu pana Przybory, rozmawiałem z nim na różne tematy, a on reagował na to, co mówiłem. Reagował zresztą nie tylko werbalnie, ale i twórczo.

Ta zadzierzgnięta wówczas znajomość nie skończyła się wraz z wywaleniem mnie w 1982 roku z TVP. Po latach powróciłem na szklane ekrany telewizji publicznej i wraz z Krzyśkiem Materną zrobiłem nie jeden i nie dwa programy, w których centralną postacią był Mistrz Przybora. Dzięki temu mogę poszczycić się posiadaniem oryginalnego, odręcznie napisanego pięknego tekstu *Chłopcy przedwojenni*. Utwór ten, z muzyką Janusza Stokłosy, został po raz pierwszy wykonany przez pana Jeremiego właśnie w naszym programie. Twórcze komentowanie tego, co robiliśmy w TVP, nie

Chłopcy przedwojenni

Tutaj się rodziliśmy
Tutaj pierwsze łzy robiliśmy
Pierwszą radość tu piszczeliśmy
Chłopcy przedwojenni
Tu się żyć uczyliśmy
Biedni lub bogaci byliśmy
Zawsze tutaj być lubiliśmy
Chłopcy przedwojenni
Piliśmy, nie ćpaliśmy
Gdy kochaliśmy, zdradzaliśmy
Ale chamscy nie bywaliśmy
dość dla dam przyjemni
Często dość ginęliśmy
Więcej daliśmy niż wzięliśmy
Mało do wyboru mieliśmy
Chłopcy przedwojenni
Bardzo mały wybór mieliśmy
Chłopcy przedwojenni

kończyło się na kurtuazyjnych rozmowach. Pan Jeremi zadał sobie trud i najpierw wymyślił, a potem samodzielnie napisał na maszynie wiersz jubileuszowy z okazji czterolecia naszego programu! Zwracam uwagę na ostatnią linijkę tekstu, traktującą o „niedorzeczu Ti Vi". Pisane to było w roku 1998. Ciekawe, jakiego spuentowania użyłby Jeremi Przybora dzisiaj?

LAUDATIO CUM FLUMINIBUS

NA CZTEROLECIE "MdMÚ"

(1994 1998)

przez Jeremiego Przyborę

Czy Mann wpada do Materny
czy Materną dopływ Manna ?
Rzecz choć wagi to niezmiernej
Wciąż jest nie rozszyfrowana

Cztery lata "MdMÚ" !
Lecz nie wskażę z pewną MMiną
który z eMMów bardziej teMMu
poMMógł by "MdM" słynął

Hassłom za to na tę Parę
ukuł co celnością zdziwi:
Oni są jak Bugo-Narew
na tle niedorzecza Ti Vi !

Wojtkowi – with love
(bo zna języki)

18 VIII 98

I jeszcze jedno wyjaśnienie. Sformułowanie „napisał na maszynie" odnosi się do maszyny do pisania, przyrządu częściowo zastępującego w dwudziestowiecznych gospodarstwach domowych komputer. Nieaktualna już na szczęście władza ludowa uważała maszyny do pisania za urządzenia niebezpieczne dla ustroju państwa i utrudniała ich nabywanie i użytkowanie za pomocą różnych talonów i zezwoleń. Z dumą muszę powiedzieć, że miałem (i mam do dzisiaj) własną maszynę marki Consul, produkcji czechosłowackiej (zastanawiam się, czy dziś mógłbym ją zamienić na dwie maszyny – czeską i słowacką). Kupiłem ją nielegalnie w Warszawie w sklepiku przy ulicy Chmielnej. Przebiegły właściciel tej meliny pod płaszczykiem naprawiania uszkodzonych maszyn prowadził handel nowymi, dodatkowo (o, zgrozo!) wyposażając je w polskie czcionki. W wypadku mojego egzemplarza ryzyko wykrycia tej nielegalnej transakcji zwiększał jeszcze fakt, że ten właśnie consul pisał mniejszymi czcionkami, więc był łatwy do identyfikacji. Atrakcyjność tego urządzenia bardzo wzmagała jeszcze dołączona do niego dwukolorowa taśma. Niezależnie od rodzaju tekstu, mogłem go pisać albo na czarno, albo na czerwono.

Mając własną maszynę i własną pieczątkę, byłem potwornie dumny jako szef redakcji, w której funkcjonowały wymienione osobistości. Brakowało mi jednak tego, co lubiłem najbardziej, a co Magda bezpośrednio i z pewną dozą przekory nazywała łomotem. Mam na myśli rock and rolla i pokrewne dziedziny muzyki rozrywkowej. Moje nadzieje na realizację własnych pomysłów były jednak uzasadnione. Walter znany był z odważnych decyzji łamiących biurokrację i jednotorowe myślenie różnych decydentów. W dziedzinie muzyki rozrywkowej miał już za sobą tak niezwykły w tamtych latach sukces jak zrealizowanie recitalu szwedzkiej grupy Abba w warszawskim studiu. Abba była wówczas u szczytu popularności i sprowadzenie takiej gwiazdy tylko do telewizji było nie lada sukcesem. Walter miał bardzo dobrze nastawiony barometr potrzeb widza i kierując się nim, wyprodukował coś, co absolutnie dystansowało wszystkie inne propozycje Telewizji Polskiej. Sprowadzał gwiazdy, ale i kreował gwiazdy.

Moją rolą, poza koordynowaniem poczynań tej dziwnej redakcji rozrywki, było również opiniowanie oraz wskazywanie programów i artystów, którzy powinni znaleźć się na antenie *Studia 2*. Nie ukrywam, że ogromną atrakcją był wyjazd do Cannes na telewizyjne targi MIP. Podczas mojego pobytu na Lazurowym Wybrzeżu ulubionym tekstem moich kolegów redakcyjnych było informowanie wszystkich bardziej i mniej zainteresowanych, że „pan Mann jest w Cannes". Dla mnie Cannes to był naprawdę szok. Pal sześć palmy przy La Croisette, bardzo nieubrane panie na plaży przy bulwarze i kuszące na każdym kroku knajpki z ofertą, jakiej Polska nie widziała od dwudziestolecia międzywojennego. Najważniejsze były skarby oferowane na targach. Krążyłem po pałacu festiwalowym jak po oceanie światowej rozrywki telewizyjnej. Ciążyła mi świadomość odpowiedzialności za wskazane przeze mnie do zakupu pozycje, ale też z drugiej strony zdumiewała lekkomyślność i brak fachowości wielu towarzyszących mi w tej delegacji osób z telewizji. Doszło do tego, że jedna z ważnych pań redaktorek najzwyczajniej w świecie mnie śledziła i zapisywała w kajeciku te programy, które wzbudzały moje zainteresowanie. Zabawa stawała się więc jeszcze ciekawsza, gdyż jak tropiona zwierzyna musiałem umiejętnie gubić myśliwego. Dla zmylenia śladów udawałem zaciekawienie koszmarnymi ofertami typu *Saragossa Band Schlagerparade*.

Pośród tych gier i zabaw udało mi się wypatrzyć genialny wieloodcinkowy serial *All You Need Is Love*, czyli historię muzyki rozrywkowej niejakiego Tony'ego Palmera. Dziś, w dobie internetu, MTV i całej tej popkulturowej gumy do żucia, to nikogo nie oszołomi, ale trzydzieści lat temu godzinne odcinki poświęcone głównym nurtom muzycznym, w których aż kipi od dokumentalnych zdjęć z koncertów i wypowiedzi największych gwiazd, były absolutną sensacją. Doskonale pamiętam, jakim przebojem była ta seria nie tylko w Polsce, ale i w tej części Ukrainy, a konkretnie, najzachodniejszych terenów ZSRR, które odbierały nasz program. Zanim jednak doszło do deprawacji wschodnich sąsiadów, należało przygotować serię do emisji w Polsce. Przygotować, czyli przetłumaczyć. Normalną koleją rzeczy zajmowała się tym wyspecjalizowana komórka opracowująca polskie teksty do importowanych programów i filmów. Dość popularną metodą było zlecenie tłumaczenia filologicznego jakiemuś bezimiennemu obywatelowi, który znał język, by potem w trakcie emisji widz usłyszał następujące słowa: „Opracowanie wersji polskiej XYZ". Przy czym XYZ to wcale nie była ta osoba, która całość przetłumaczyła. Zresztą często XYZ miał blade pojęcie o tematyce problemu, a czasem nawet o języku, w którym został nagrany. Wiedząc o tej technologii, poprosiłem Waltera, żeby pozwolił, abym sam się zajął tłumaczeniem. Ten się nie zgodził, mówiąc, że trzeba przestrzegać obowiązujących w TVP procedur. Zdołałem jedynie na nim wymóc, że jeśli wykażę, iż opracowanie pierwszego odcinka nie jest zadowalające, to dostanę tę robotę w swoje ręce. Przysięgam, że korektę polskiej wersji zrobiłem bez złośliwości, ale momentami trudno było zobaczyć tekst pod moimi poprawkami. Dzięki temu mogłem moje ukochane muzyczne dziecko niańczyć, przewijać i lulać bez udziału niewprawnych mamek. Emisja okazała się takim sukcesem, że zaniepokoiła ideologicznie słuszne czynniki, które wyraziły troskę o stan umysłów wspomnianych najzachodniejszych wschodnich sąsiadów.

Pięć ulubionych filmów muzycznych

1. *All You Need Is Love. The Story of Popular Music* Tony'ego Palmera – siedemnastoodcinkowy rewelacyjny serial dokumentalny.

----

2. *A Hard Day's Night* – Richard Lester nie tylko pokazał Beatlesów i ich muzykę, ale zdołał sfilmować ich podejście do świata i poczucie humoru. W kinie Moskwa w Warszawie obsługa miała przykazane otwieranie drzwi podczas projekcji, żeby świeże powietrze studziło emocje i zapobiegało wybuchom entuzjazmu. Uwierzylibyście?

----

3. *Woodstock* – *to se ne vrati*.

----

4. *Buena Vista Social Club* – dowód na to, że ani opresja ideologiczna, ani sędziwy wiek nie przeszkodzą prawdziwym artystom.

----

5. *It Might Get Loud* – Jack White, Jimmy Page, The Edge, Bono – nieźle.

Poza tym jest jeszcze kilkanaście innych, ale miało być pięć.

PS: Jednym z najgorszych w historii filmów muzycznych jest polski *To tylko rock*. Jednak mamy osiągnięcia.

Import i przygotowywanie zagranicznych rarytasów to jedno, a sprowadzenie do studia i zrealizowanie przyzwoitego programu z zagraniczną gwiazdą to inne, dużo większe wyzwanie. Mogę się poszczycić udziałem w przygotowaniu telewizyjnych recitali takich artystów, jak Suzi Quatro, 10cc, dyskotekowy zespół Eruption, Esther Phillips czy Shakin' Pyramids.

Realizowali te programy znakomici fachowcy, tacy jak Tomek Dembiński, Zbyszek Proszowski czy Andrzej Wasylewski. Przy realizacji nie obyło się oczywiście bez przygód. Suzi Quatro miała wystąpić w studiu ze scenografią, której wszystkie elementy zostały oklejone płachtami gazet. Wyglądało to bardzo oryginalnie i efektownie. Gdy artystka zobaczyła, co zostało dla niej przygotowane, wyraziła pewne wątpliwości. Powiedziała, że jest piosenkarką rockową, a scenografia sugeruje estetykę punkową. Byliśmy potwornie dumni, że polskie studio okazało się za nowoczesne dla amerykańskiej gwiazdki.

Nie zawsze było pokojowo i artystycznie. Pewnego razu jeden z muzyków brytyjskiej grupy grającej rockabilly, Shakin' Pyramids, dał na przykład w dziób komuś z obsługi, komu nie spodobał się jego wygląd. Nie było zatargu dyplomatycznego, ale dużo zimnych okładów. W wokalistce dyskotekowego zespołu Eruption, Precious Wilson, zakochała się cała męska obsada studia i trzeba było ich mobilizować do pracy, energicznie i stanowczo przerywając okresy zagapienia się na skąpo ubraną gwiaz-deczkę. Najwięcej kłopotów miałem jednak z ciemnoskórą amerykańską gwiazdą Esther Phillips. Wzorem wspomnianego już w tej książce swego rodaka Teddy'ego Wilsona, stale raczyła się płynem z samonapełniającego się pojemniczka. Była uroczą, żyjącą w innym wszechświecie osobą. Nie omieszkała jednak zwrócić uwagi na moje gabaryty i w przypływie wspomaganej płynem sympatii zaprosiła mnie do swojego domu w Los Angeles. Kusiła mnie bardzo poważnie, mówiąc, że w basemencie ma dziesięć tysięcy płyt, których będę sobie słuchał, podczas kiedy ona na górze będzie mi gotować pyszne dania. Może nawet bym się zgodził, gdyby nie obawa, że wielkie serce Esther już tam wcześniej wprowadziło paru melomanów lubiących dobrze zjeść.

W *Studio 2* zdarzały się czasami także realizacje pozastudyjne. Kiedyś odbyłem wraz z ekipą wycieczkę do Katowic, po to by nakręcić koncert ogromnie kiedyś popularnego brytyjskiego zespołu metalowego UFO. Oczywiście cały sprzęt, różne urządzenia i kamery zostały zainstalowane w Spodku już wcześniej, a ja, czyli bardzo ważny redaktor, wraz z częścią ekipy wyjechałem w wieczór poprzedzający koncert. Nie była to szczęśliwa decyzja, gdyż wśród jadących ze mną kolegów operatorów znalazł się jeden solenizant, a kto wie, może i jubilat, bardzo obficie wyposażony w domowej roboty płyny zwyczajowo towarzyszące obchodom. Chciałbym tu podkreślić słowa „obficie" oraz „domowej roboty".

Kiedy opuszczałem gościnny pokój solenizanta, a może jubilata, na dworze lekko już szarzało. Siła, którą zaklął we wspomnianych płynach nieznany mi producent, była większa, niż ktokolwiek mógł przypuszczać. Wcześniej ustalona pobudka o godzinie ósmej rano okazała się całkowicie nierealna. O dziewiątej trzydzieści wywlekł mnie z pościeli portier, który dysponował uniwersalnym kluczem do otwierania wszystkiego, co w hotelu było zamknięte. Zawstydzony, niewyspany i zdenerwowany na własne życzenie wywołanym opóźnieniem, zacząłem ekspresową poranną toaletę, po czym nałożyłem strój wyjściowy, w którym miałem nagrać zapowiedź koncertu.

W listopadzie
1976 telewizyj-
ne *Studio 2*
na chwilę dało
obywatelom
poczucie przy-
należności do
normalnego
świata. Będą-
ca u szczytu
popularności
ABBA jak gdy-
by nigdy nic
wystąpiła
przy ulicy
Woronicza 17

Wszystkie telewizyjne środki transportu dawno już były pod salą koncertową, a w tamtych czasach wolna taksówka była nie lada rarytasem. Jednak jako że hotel Warszawa (bo tak się wówczas nazywał) był niezbyt oddalony od Spodka, postanowiłem pokonać ten dystans na piechotę. Dodatkowym atutem takiego rozwiązania było to, że świeże przedpołudniowe powietrze przewietrzy mnie i usunie zupełnie niepotrzebne już opary domowej produkcji. W białej koszuli i jasnych spodniach rozpocząłem marsz w stronę sali koncertowej. Szło mi zupełnie dobrze i wszystko wskazywało na to, że dotrę w miarę punktualnie na pierwszą próbę kamerową. Zaprzątnięty myślami o tekście, który miałem wygłosić, nie zauważyłem nadjeżdżającego bardzo dużego autobusu typu przegubowiec. Nie zauważyłem również, że będzie on przejeżdżał tuż obok mnie, i to w chwili, kiedy znajdę się na wysokości ogromnej kałuży. Autobus przejechał, a mój dalszy marsz na próbę i nagranie stracił całkowicie sens. I tak doszło do czegoś, czego zawsze się potwornie bałem, a mianowicie do opóźnienia zaplanowanych zajęć zawodowych tylko z mojego powodu. Nie winię tu kierowcy przegubowca, bo nadjechał szybko i zza mnie, więc nie mógł wiedzieć, że ochlapuje popularnego redaktora.

Koncert zespołu UFO zapamiętałem nie tylko z uwagi na opisane wydarzenie, ale z jeszcze jednego względu – również ściśle związanego z napojami wyskokowymi. Podczas próby dźwięku siedziałem w transmisyjnym wozie, słuchając, jak zespół brzmi. Jak na grupę metalową brzmiał dość beznadziejnie, płasko i cherlawo. Siedzący przy konsolecie inżynier specjalista tłumaczył mi, że tak musi być, tym bardziej że głośniki odsłuchowe są bardzo kiepskie. Wtem, być może nawet przez pomyłkę, do wozu wturlał się bardzo pijany dźwiękowiec UFO. Pokiwał się nad stanowiskiem inżyniera specjalisty, po czym zapytał, dlaczego dźwięk jest taki słaby. Zacząłem coś o głośnikach, ale Anglik spojrzał na konsoletę i powiedział, że wszystko jest źle. Odsunął inżyniera i poprzestawiał suwaki w sposób, który na twarzy naszego dźwiękowca wywołał przerażenie. „To jest całkiem niezgodne z instrukcją i normami" – wymamrotał telewizyjny specjalista. Tak więc dzięki temu, że występ UFO był zrealizowany niezgodnie z instrukcją i normami, stał się najlepiej brzmiącym koncertem, jaki zarejestrowaliśmy na żywo. Do dzisiaj nie wiem, czy zawdzięczać to alkoholowi, czy angielskim normom.

Z całą stanowczością podkreślam, że moja działalność w *Studio 2* nie koncentrowała się wyłącznie na twórczości z importu. Przygotowywaliśmy wiele programów z polskimi artystami, w tym wiele naprawdę nowatorskich scenograficznie i realizacyjnie. Na przykład Krzysztof Bukowski zrealizował recital przeżywającej szczyt swojej popularności Izabeli Trojanowskiej utrzymany w konwencji snu o wesołym miasteczku. Zbigniew Proszowski, w pewnym okresie zafascynowany muzyką country, przygotowywał wysmakowane programy z Urszulą Sipińską (w podobnym okresie również zafascynowaną muzyką country), Gangiem Marcela i innymi countrypodobnymi wykonawcami. A nawet posunął się do wynajęcia wyglądającej westernowo kolejki wąskotorowej, w której wystąpiłem jako amerykański konduktor. Wielką popularnością wśród widzów cieszyły się spotkania marzących o karierze medialnej amatorów z mistrzem Aleksandrem Bardinim.

Świadomie bądź nie, dawaliśmy też impuls do interesujących inicjatyw artystycznych. Wspomniany przeze mnie reżyser Andrzej Wasylewski przyprowadził do pokoju redakcyjnego nieznanego nikomu sympatycznego chłopaka i powiedział: „To jest Staszek Sojka, fajnie śpiewa, myślę, że będą z niego ludzie". Staszek był ze Śląska, więc jego rozeznanie w warszawskich układach było żadne. Wasylewski jednym telefonem uruchomił ciąg brzemiennych w skutki wydarzeń. Zarekomendował bowiem Staszka Wojciechowi Karolakowi, znakomitemu jazzmanowi, co w rezultacie zaowocowało powstaniem bardzo dobrej płyty. Na samej rekomendacji się nie skończyło. Sojka wystąpił wkrótce w reżyserowanym przez Wasylewskiego widowisku *Pozłacany warkocz* z muzyką Katarzyny Gaertner. Niewątpliwy talent, muzykalność i wdzięk Staszka nie wymagały jednak specjalnego wsparcia. W krótkim czasie nazwisko

Sojki budziło jednoznaczne skojarzenia z muzyką na wysokim poziomie. Do dziś opiera się łatwemu szufladkowaniu i czujnie omija mielizny sezonowej komercji.

Kiedy Mariusz Walter stopniowo przekonał się, że znam się na muzyce rozrywkowej, umiem rozmawiać z ludźmi, a nawet potrafię składnie mówić do kamery, obdarzył mnie dowodem największego zaufania, mianowicie możliwością stworzenia i poprowadzenia mojego własnego autorskiego programu, i do tego jeszcze na żywo!

Dzisiejszy konsument programów telewizyjnych nie jest w stanie nawet sobie wyobrazić, co oznaczało oddanie mi kawałka „żywej" anteny. Przewodnia siła narodu coraz słabiej, ale jednak kontrolowała ideologicznie obywateli polskich, a prezes Maciej Szczepański wdrażał odpowiednie idee i kierunki na terenie Telewizji Polskiej. Program emitowany *live* był naturalnym zagrożeniem dla prawomyślności i w pojęciu cenzorów i kontrolerów w każdej chwili mógł stać się iskrą zapalną wywołującą jakąś niewyobrażalną pożogę. Osobiście nie myślałem o pożogach, tylko o tym, żeby stworzyć lekki, satyryczny program z domieszką purnonsensu, obnażający panującą wokół głupotę i zakłamanie. Dodatkowo, w braku telewizyjnych rockowych pozycji muzycznych z prawdziwego zdarzenia, była tu okazja do wstawiania zachodnich piosenek, które nie znalazłyby gdzie indziej dla siebie miejsca. Potrzebowałem wsparcia podobnie myślących kolegów, tym bardziej że pomysły, na które zrzucało się kilka głów, zawsze stanowiły ciekawszą bazę do układania kolejnych programów. Moim głównym partnerem został były salonowiec niezależny Janusz Weiss. Janusz skromnie uznał, że najlepszym tytułem takiego programu będzie *Magazyn pana Manna*. Oczywiście pochlebiało mi to, ale na moje usprawiedliwienie mam fakt, że się także rymowało. I tak zostało.

W powstałej grupie z różną intensywnością działali grafik Janusz Kapusta, satyrycy Krzysztof Janczak i Andrzej Nowak, kompozytor Michał Lorenc. Robiliśmy żarty ze wszystkich i ze wszystkiego. Niezwykle cennym

pomysłodawcą był Janusz Kapusta. On na przykład zgłosił propozycję zwiększenia powierzchni naszego kraju bez drażnienia sąsiadów. Zaproponował oto wykopanie ogromnej dziury od południowej granicy malejącej mniej więcej do Mazowsza. Od Mazowsza wykopaną ziemię należało nadsypać, tworząc coraz większe wzniesienie aż po Bałtyk. Tym samym Polska nie byłaby już mniej więcej płaska, lecz pochylona jak uchylne okno w stronę południa. Dawałoby to nie tylko większą powierzchnię, ale też pełniejsze nasłonecznienie, co mogłoby ułatwić na przykład zakładanie winnic. Powstały do tego odpowiednie wzory matematyczne, rzeczywiście potwierdzające, że stalibyśmy się co prawda pochyłym, ale większym krajem.

Również Janusz rzucił niegdyś pytanie, czy nie należałoby którejś z warszawskich ulic nazwać imieniem Johna Lennona. Zrobiliśmy z tego cały reportaż pokazujący „oficjalne" odsłonięcie tablicy z nazwą i ochrzczenie imieniem beatlesa uliczki w okolicach ambasady francuskiej. Tak zwane odnośne władze negatywnie odniosły się do tego pomysłu, argumentując na przykład, że musi to za sobą pociągnąć gigantyczne koszty, bo dwa czy trzy stojące przy tej uliczce fińskie domki musiałyby zmienić adres. W świetle później następujących falowych przechrzceń ulic i placów w całym kraju to tłumaczenie brzmi szczególnie groteskowo.

Ulice przysporzyły nam zresztą kłopotów. Nakręciliśmy serię scenek-zagadek, w których zadaniem widza było odgadnięcie na podstawie pokazanej sytuacji nazwy ulicy, przy której rzecz się dzieje. I tak na przykład pełzający po chodniku człowiek robił to na ulicy Czołgistów. Menel pijący coś z małej kosmetycznie wyglądającej buteleczki stał pod tabliczką z napisem „Brzozowa". I tak dalej, i tak dalej... Jeden z obrazków wyjątkowo rozsierdził propagandystów z placu Powstańców, gdzie powstawał znienawidzony propagandowy *Dziennik telewizyjny*. Otóż na tle wszystkim znanego sygnału dźwiękowego tegoż *Dziennika* kamera pokazała (słowo honoru, że takie miejsce znaleźliśmy) zakratowane okno, a nad nim tabliczkę: „Ulica Gawędziarzy". Gawędziarze zażądali od Waltera przeprosin, Walter tę prośbę nam przekazał i nawet nie czekał na odpowiedź, bo myślę, że znał ją z góry. Był rok 1981, więc wkrótce nasz niewinny żart odsunęły w cień o wiele ważniejsze wydarzenia.

Mariusz Walter nie miał zresztą z nami zbyt łatwego życia. Dobrze pamiętam, jak kiedyś na korytarzu powiedział: „Prosiłem, żebyście przynosili scenariusze tych programów, ale to też jest bez sensu, bo jak potem oglądam was na antenie, to i tak robicie zupełnie coś innego, niż było w tych świstkach napisane".

ISSNO 137-7779

NON STOP

NR 6 (141) ROK XIII   CZERWIEC 1984   Cena 20 zł

DODATEK „TYGODNIKA DEMOKRATYCZNEGO"

„Non Stop", czyli co pan chce przez to powiedzieć

W zamierzchłych czasach mojej młodości prasa muzyczna praktycznie nie istniała.

Jedynym źródłem polskojęzycznych informacji o moim kochanym świecie muzyki rozrywkowej były „kąciki" rozsiane po różnych pismach. Najpoważniej traktowaliśmy informacje, które drukował w „Sztandarze Młodych" Roman Waschko. Nie tylko dlatego, że podawał różne ciekawostki, ale również raz na jakiś czas zamieszczał w „Sztandarze" w miarę aktualne notowania list przebojów. Listy przebojów, takie jak angielskie *Top Twenty* czy amerykańskie *Hot 100* „Billboardu", to była biblia. Dzięki temu wiedzieliśmy, czego się w wielkim świecie słucha.

Sam Roman Waschko zresztą był w naszych oczach nieprawdopodobnym gigantem. Nie tylko że pachniał elegancko, to jeszcze miał samochód BMW (na dzisiejsze czasy to co najmniej jak Bentley), ale też był oficjalnie zarejestrowanym korespondentem wspomnianego „Billboardu", jazzowego „Down Beatu" i jeszcze paru innych fachowych tytułów. Ponadto miał niewiarygodną przepustkę do rockandrollowego raju: był na specjalnej liście amerykańskich wytwórni płytowych, które przesyłały mu darmowo (!!!) najnowsze tytuły. Był także autorem wydanego w 1970 roku jedynego polskojęzycznego przewodnika-encyklopedii muzyki jazzowej i rozrywkowej. Zastanawialiśmy się, co byłoby lepsze: zaprzyjaźnienie się z panem Romanem czy też zabicie go. Był jednak w obydwu kategoriach nieosiągalny. Oczywiście poza Romanem Waschko tu i ówdzie pisywano o rock and rollu, ale głównie przyczynkowo albo bez sensu. Do dziś pamiętam rewelacyjną wiadomość wydrukowaną w „Panoramie Śląskiej", mówiącą,

1970 – nie było
internetu, nie
było zagra-
nicznej facho-
wej prasy, nie
było zachod-
nich encyklo-
pedii muzycz-
nych, był
przewodnik
Romana
Waschko

„Non Stop”,
czyli co pan
chce przez to
powiedzieć

134 ------------

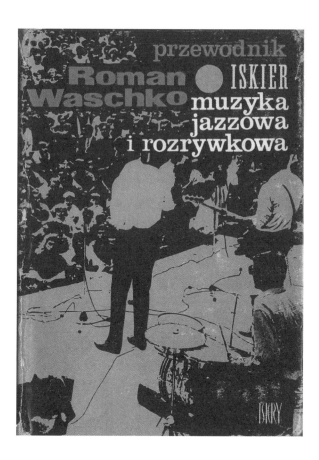

że „angielski kwartet rewelersów The Beatles postanowił zwiększyć skład do pięciu osób i teraz nazywają się Dave Clark Five”.

Owszem, było jeszcze jedno miejsce, w którym zdarzały się interesujące teksty. Był to dodatek do miesięcznika „Jazz”, zatytułowany „Rytm i Piosenka”. Kierujący „Jazzem” Józef Balcerak wyczuwał koniunkturę i w szacowny świat muzyki jazzowej łaskawie wpuścił gitarowych krzykaczy. A właściwie nie tyle krzykaczy, ile rozgorączkowanych fanów tej muzyki, w tej liczbie piszącego te słowa. Właśnie w dodatku „Rytm i Piosenka” dostąpiłem zaszczytu bycia wydrukowanym i podpisanym imieniem i nazwiskiem. Mogłoby powstać pytanie, skąd taka wiedza, która ośmielała nas do pisania do prawdziwej gazety. Oczywiście z przemytu. Nieliczni wybrańcy mieli dostęp do angielskiej prasy muzycznej. Głównymi tytułami, o których wszyscy marzyliśmy, były „New Musical Express", „Melody Maker" i „Record Mirror". Przez pewien czas byłem jednym z najważniejszych gości w środowisku, ponieważ rodzina w Anglii zaprenumerowała mi „NME" i dostawałem go regularnie chyba przez dwa lata. Prezes krajowy Andrzej Olechowski, pozbawiony zagranicznych wujów, zapewnił sobie jednak dostęp do angielskiej gazety „Record Mirror", pisząc do nich z zapytaniem, czy przyjmą płatność wysłaną gotówką w kopercie. Musiało ich to głęboko wzruszyć, bo zafundowali mu darmową prenumeratę. Byliśmy więc coraz mocniejsi, ale do Romana Waschko wciąż było bardzo daleko.

Trzeba mu jednak zapisać na plus, nawet duży plus, że nie był sobkiem. Kiedy już go trochę poznałem, chętnie udostępniał mi płyty, których akurat potrzebowałem. Nie rozumiałem tego, bo pożyczenie komuś płyty było dla mnie czymś równie trudnym jak wyrzeczenie się rodziny albo uduszenie maleńkiego kotka. Ponadto R.W. rekomendował młodych ludzi tam, gdzie sam nie chciał albo nie mógł działać (*vide* moje początki telewizyjne). Na tej jednej rekomendacji się nie skończyło. Pewnego dnia, to już były lata osiemdziesiąte, a konkretnie: rok 1983, zadzwonił do mnie z pytaniem, czy czytuję „Non Stop". „Non Stop" – jako coś najbliższego muzycznej gazecie – było oczywiście zjawiskiem natychmiast rozchwytywanym.

Wyjaśnię po kolei. Obok Polskiej Zjednoczonej Partii Robotniczej istniały wówczas w PRL-u jeszcze dwie nieliczące się zupełnie partyjki: Zjednoczone Stronnictwo Ludowe i Stronnictwo Demokratyczne. Stwarzały one pozory demokracji i wielopartyjności. Każda z tych partii miała, poza członkami, swoje adresy, nieruchomości oraz własne wydawnictwa. Wydawnictwem Stronnictwa Demokratycznego była Epoka. Epoka wydawała między innymi „Tygodnik Demokratyczny", którego tak naprawdę nikt nie czytał. Jakiś spryciarz w Epoce zorientował się, że można zarobić na dodatkach, niekoniecznie wypełnionych demokratycznym duchem Stronnictwa. Przez pewien czas nakład „Tygodnika" utrzymywał na przyzwoitym poziomie dodatek zatytułowany chyba „Relaks". Ale atrakcją były tam nie

„Non Stop",
czyli co pan
chce przez to
powiedzieć

----------- 135

tyle artykuły o relaksie, ile licznie zamieszczane ogłoszenia drobne o niezwykłej jak na tamte czasy śmiałości obyczajowej. Wyzwoleni demokraci zapraszali zainteresowanych do najróżniejszych, dwu- i wieloosobowych, działań seksualnych we wszelkich możliwych wariantach. Niestety dla rozochoconych demokratów, władze wydawnictwa uznały, że nie tędy droga, i ukróciły tę działalność ogłoszeniową, w rezultacie czego „Relaks" skapcaniał i stracił pozycję lokomotywy finansowej.

I tu na czoło wysunął się – również wydawany przez Epokę – dodatek traktujący o muzyce rozrywkowej: „Non Stop". Żeby jednak nie zrażać młodych fanów muzyki koneksjami politycznymi, ten niby-dodatek sprzedawany był oddzielnie, więc kupujący go meloman nie musiał być obciążony ceną dodatkowej myśli i makulatury demokratycznej. Człowiekiem, który wymyślił „Non Stop" i doprowadził do jego narodzin, był popularny w tamtych latach autor tekstów piosenek Andrzej Tylczyński. „Non Stop" był pisemkiem o nikczemnym wyglądzie, wydawanym na najgorszym możliwym papierze gazetowym, drukowanym przy użyciu najgorszych możliwych urządzeń. Bywało, że całe strony tego wydawnictwa były nieczytelne, bo albo się nie dodrukowały, albo farba zalała literki i, pożal się Boże, fotografie. Niemniej miał ten miesięcznik jedną podstawową zaletę – istniał i świetnie się sprzedawał.

I oto pewnego dnia zadzwonił do mnie redaktor Roman Waschko i zapytał, czy miałbym ochotę przejąć ten dodatek, bo Epoka szuka naczelnego. Tylczyński wyjechał za granicę, a pełniący obowiązki nie bardzo chciał je pełnić i tak powstał wakat. Byłem akurat wylany z TVP, więc propozycja przyszła w samą porę i przyjąłem ją. Oczywiście nie miałem ochoty kontynuować dotychczasowej lekkiej i popowej linii pisemka. Zaprosiłem do współpracy między innymi Janka Chojnackiego i Romka Rogowieckiego i przerobiliśmy „Non Stop" na bardziej rockowe wydawnictwo. W ramach istniejących możliwości zaczęliśmy zajmować się młodą polską muzyką i zamieszczaniem trochę poważniejszych materiałów niż sylwetka zespołu Bolter. To, co robiliśmy w „Non Stop", było kolejnym z szeregu ówczesnych polskich paradoksów. Szmatława z wyglądu gazetka

„Non Stop",
czyli co pan
chce przez to
powiedzieć

136

ISSNO 137-7779

NON STOP

NR 2 (137) Rok XIII   Cena 20 zł   LUTY 1984

DODATEK „TYGODNIKA DEMOKRATYCZNEGO"

Po czterech latach starań załatwiliśmy Wam dodatkowy dzień na lekturę NON STOPU — 29 luty!!! Brawo dla nas!

Redakcja

o piosenkarzach rozchodziła się niemal bez zwrotów w astronomicznym nakładzie 100 000 egzemplarzy, utrzymując cały ten „Tygodnik Demokratyczny" i spore grono darmozjadów wędrujących po korytarzach Epoki. Nie oznaczało to jednak, że przynoszone przez nas zyski pozwalały na lepszą szatę graficzną czy lepszy papier. O atmosferze panującej w wydawnictwie niech świadczy opowieść o próbie zmiany strony tytułowej.

Zabytkową winietkę próbowaliśmy zastąpić dużo nowocześniejszym i ładniejszym projektem graficznym, w którym, jeśli pamiętam, w ręcznie maźnięte czerwone „Non", a konkretnie, w „o", wkomponowany był jakby znak drogowy z napisem „Stop". Prezes wydawnictwa długo kręcił nosem, aż wreszcie powiedział: „Nie". W swojej naiwności licząc na lepszy efekt przy osobistym kontakcie, zapisałem się do prezesa na rozmowę. Kiedy już dostąpiłem zaszczytu i zostałem przyjęty w gabinecie, napotkałem nie tyle prezesa, ile betonową ścianę. Niechęć do nowego projektu motywował tym, że w naszej propozycji bardzo wybite jest słowo „Non", co zgodnie z jego wiedzą o obcych językach oznacza „nie", czyli protest, a on sobie nie życzy negatywnej wymowy swojego dodatku. Nie mogłem otrząsnąć się ze zdumienia, słysząc taką argumentację, ale resztką sił zaproponowałem jakąś zmianę proporcji, żeby to „Non" tak prezesa nie raziło. Tu betonowy urzędnik niespodziewanie zaszedł mnie z flanki. „No dobrze, panie redaktorze, zmniejszy pan »Non«, a zostaje jeszcze »Stop«. Przyzna pan, że też negatywne. Co pan chce tym stopem zastopować?" Zrozumiałem, że rozmowa z robotem jest bezcelowa. Stary obrazek został bez zmian.

Na swój sposób bawiliśmy się również w ciuciubabkę z cenzurą, która czytała wszystko, co w Polsce było drukowane, dyskretnie zostawiając po sobie małe znaczki typu R-61 albo na przykład K-43 (to była sygnatura gościa, który akceptował „Przewodnik" pana Romana). Znaczki umieszczano na wszelki wypadek, aby w razie wykrycia przeoczonej nieprawomyślności wiadomo było, kogo wziąć za łeb. Podejrzewam, że akceptację Urzędu Kontroli musiały mieć nawet etykietki zapałczane, a co dopiero gazetka o zachodniej muzyce. Udawało nam się jednak przemycać to i owo. Dziś ta walka z systemem wydaje się absurdalna i niewiarygodna, ale pamiętam

„Non Stop",
czyli co pan
chce przez to
powiedzieć

138 _____

radość, kiedy w druku ukazało się motto grupy Dezerter. Brzmiało ono: „Diabeł stworzył armię, a Bóg dezertera". Cenzor albo nie zrozumiał, albo przysnął i wywrotowe hasełko w nakładzie 100 000 egzemplarzy poszło w Polskę. Podejrzewam, że przeciwny protestom tekturowy prezes miał pełne portki.

Sądzę, że nasza bezkarność w produkowaniu mrugającego porozumiewawczo do czytelnika pisemka muzycznego nie wynikała z nieświadomości demokratycznych urzędników, ale z przyczyn ekonomicznych. O naszych planach i rozmowach różni ważni prezesi i podprezesi wiedzieli

PUNK'S NOT JAZZ

(tytuł ku uciesze wszystkich punków w Polsce zaproponowała grupa DEZERTER)

Dezerter w akcji

NON STOP 7

„Non Stop",
czyli co pan
chce przez to
powiedzieć

---------- 139

wszystko. Niewykluczone, że za sprawą pani sekretarki, której żadną miarą nie dało się wymienić na kogokolwiek innego. Była, razem ze swoim silnym makijażem i kompletną obojętnością na sprawy muzyczne, gdy nastałem w tej redakcji, i była nadal, gdy stamtąd odchodziłem.

Pięć spośród najbardziej dołujących kawałków w historii

1. Joy Division, *Love Will Tear Us Apart* – nic, tylko się zapaść w rozpacz.

2. Sinéad O'Connor, *Nothing Compares 2 U* – po Joy Division poprawić jeszcze tym smutkiem i już nie ma po co wychodzić z domu.

3. Amy Winehouse, *Back to Black* – teraz jeszcze trzeba zaciągnąć zasłony, żeby jakieś głupie światło nie rozproszyło nastroju.

4. The Beatles, *Eleanor Rigby* – teraz jesteśmy już gotowi na przygnębiającą historię jej i jej podobnych *lonely people*.

5. Pernice Brothers, *Chicken Wire* – całe szczęście, że Państwo tego nie znają.

72.3/103 MHz radio

KOLOR

Radio Kolor

Lata spędzone przed mikrofonem radiowym potwierdzały moją miłość do radia,

która, jak wiadomo, jest uczuciem pięknym, ale też dość zaborczym. Nie umiem powiedzieć, kiedy to się zaczęło, zaczęło jednak chodzić mi po głowie marzenie o radiu, które byłoby całkiem moje. Przemiany zachodzące w Polsce dawały podstawy do oczekiwania na przełamanie medialnego monopolu państwa. Czując ten powiew zmian, niecierpliwie chciałem wyprzedzić wydarzenia i ewentualną konkurencję. Wraz z dwoma przyjaciółmi wymyśliłem spółkę Fala, której zadaniem byłoby uruchomienie niezależnej lokalnej stacji radiowej w Warszawie. Niestety, ta inicjatywa pojawiła się odrobinę za wcześnie. Ani władze, ani przepisy, według których funkcjonowały media, nie były jeszcze gotowe na taką rewolucję. Nieco zrażeni odmowami i przeszkodami, które spiętrzyły się przed Falą, wyhamowaliśmy działalność. Nie był to dobry pomysł, gdyż okazało się, że przy nieco większej dozie determinacji można było odnieść sukces. Najlepszym dowodem były pierwsze dźwięki Radia Zet, ukochanego dziecka Andrzeja Woyciechowskiego. Istnienie (od roku 1990) Zetki, a wkrótce potem Wawy, ponownie zmobilizowało mnie do realizacji marzenia.

Tym razem, w 1992 roku, moim partnerem został Krzysiek Materna, wraz z którym zaczęliśmy się rozglądać za „inwestorem strategicznym". Został nim biznesmen Paweł Obrębski. Uwiedziony bajeczną perspektywą sławy i bogactwa, przyłączył się do naszej akcji stworzenia radia w Warszawie. Opisywanie wszystkich poszczególnych batalii z urzędami, dokumentami, bankami i papierami byłoby tu raczej nużące, toteż powiem tylko, że odnieśliśmy sukces! Otrzymaliśmy koncesję i zgodę na uruchomienie radia o nazwie Kolor. Dziś doskonale rozumiem nerwy Obrębskiego, kiedy podsuwano mu kolejne faktury i rachunki dotyczące wyposażenia rozgłośni. No, ale skoro robimy radio, to robimy porządne radio. Potrzebne było pomieszczenie, studia, wyposażenie techniczne, nadajnik i cała masa innych importowanych i kosztownych rzeczy. Przyzwyczajony do rozmachu lokalowego Polskiego Radia, z niechęcią i zdumieniem oglądałem zaproponowane nam pokoiki na drugim piętrze budynku biurowego przy ulicy Królewskiej. Na domiar złego był to nie całkiem nowoczesny budynek i nie miał ani jednej windy. Moim zdaniem, wyższe niż jednopiętrowe budynki pozbawione wind są wymysłem barbarzyńców i powinny być bojkotowane. (Mam zresztą swoją udokumentowaną teorię na temat pięter. Wszyscy moi znajomi mieszkający w bezwindowych domach mieszkają na najwyższych kondygnacjach. Twierdzę, że na parterach i ewentualnie pierwszych piętrach w ogóle nikt nie mieszka, a pojawiający się tam ludzie to opłacani specjalnie statyści).

Mimo braku wind na Królewskiej w końcu podjęliśmy decyzję. Pomału zaczął przyjeżdżać sprzęt, pokoje zostały odmalowane, wyposażone w odpowiednie przewody, szyby, wytłumienia, całą niezbędną resztę. Wspominam ten okres z niezwykłym rozczuleniem, ponieważ czułem się tak, jakbym urządzał swój nowy wspaniały dom. Interesowało mnie wszystko: od rodzaju wykładziny aż po techniczne dane konsolety czy nadajnika. Szczególnie byłem dumny z zegara, synchronizującego się superprecyzyjnie z jakimś ośrodkiem niemieckim. Niemiecki czas, mimo że w sposób oczywisty podejrzany, dawał jednocześnie gwarancję punktualności.

Równolegle z przygotowaniami lokalowo-technicznymi zabraliśmy się do przygotowania załogi stacji. Z zasady nie chcieliśmy angażować ludzi dysponujących doświadczeniem w mediach. Intuicyjnie przeczuwaliśmy, że takie towarzystwo będzie trudniejsze do sterowania, obarczone utrwalonymi nawykami, a my chcieliśmy zaproponować słuchaczom coś zupełnie świeżego. Ogłosiliśmy więc rekrutację do nowo powstającej stacji i po stworzeniu odpowiedniej komisji zasiedliśmy przy stołach, czekając na kandydatów. W grupie egzaminująco-szkolącej niezwykle istotną rolę odgrywały dwie niemożliwe do przecenienia panie: świętej pamięci Barbara Głuszczak i Zofia Kruszewska. Były nie tylko doświadczonymi realizatorkami dźwięku, ale też osobami obdarzonymi niesamowitą intuicją radiową. Ich zdanie ceniliśmy ponad wszystko. O ustalonej godzinie wyjrzałem z sali, aby sprawdzić, czy ktoś się w ogóle zgłosił. W pierwszym odruchu pomyślałem, żeby może zrejterować, ponieważ pod drzwiami komisji zjawił się prawdziwy tłum chętnych. Może z perspektywy czasu coś wyolbrzymiam, ale wydaje mi się, że zgłosiło się około trzystu osób. Proces wyłaniania kandydatów przeprowadziliśmy w sposób urągający wszelkim zasadom międzynarodowym. Wszystko odbyło się „na czuja", bez korporacyjnych kontredansów, a efekt był fantastyczny. Nigdy wcześniej ani później nie widziałem takiej grupy połączonych wspólnym celem młodych ludzi. Od razu było widać, że większość z nich traktuje Radio Kolor jak drugi dom i dałoby się za nie posiekać. Niestety, nasze niefrasobliwe podejście do biznesowej strony przedsięwzięcia spowodowało, że Paweł Obrębski coraz gorzej sypiał. Małe lokalne radio, szczególnie na starcie swojej działalności, musi bardzo uważnie liczyć każdą złotówkę, bo będąc na dorobku, nie może spodziewać się jakiegoś nadzwyczajnego naporu reklamodawców i sponsorów. My tymczasem, wspierani przez równie wyluzowaną panią księgową, prezentowaliśmy inwestorowi listę płac, na której co miesiąc znajdowało się kilkadziesiąt, a bywało, że i ponad sto, nazwisk. Był to oczywisty krok w stronę samozagłady, ale w euforii tworzenia nowej stacji w ogóle o tym nie myśleliśmy.

Dziś mogę tylko powiedzieć, że jestem niezmiernie dumny, iż w Radiu Kolor debiutowała i uczyła się fachu tak znakomita grupa młodych ludzi. Wielu z nich nadal pracuje w mediach i odnosi sukcesy. Mam nieskromną nadzieję, że część z tych sukcesów zawdzięczają swej obecności w Kolorze. Pokonany przez bezlitosną chorobę Marcin Pawłowski, obdarzony doskonałą prezencją i świetnym głosem, bronił się rękami i nogami przed wystąpieniem na antenie. Wraz z Krzyśkiem Materną i pracującym wówczas w Kolorze Piotrem Radziszewskim niemal siłą zawlekliśmy Marcina przed mikrofon. Wypadł oczywiście doskonale. Nic dziwnego, że stał się potem jedną z najpopularniejszych twarzy telewizji TVN. Kłopotliwym dla mnie współpracownikiem okazał się Grzegorz Brzozowicz. Znałem go dobrze jeszcze z czasów „Non Stop", więc zaprosiłem do udziału w tworzeniu Koloru. Grzesiek był niezwykle aktywny w okresie przygotowawczym, a kiedy radio ruszyło, jego aktywność nie zmalała. I tu zaczął się kłopot. Obaj byliśmy bardzo zachłanni na nowości muzyczne, które regularnie zapewniał nam wykupiony w Stanach Zjednoczonych „abonament". Jako współwłaściciel uważałem, że mam bezwzględne pierwszeństwo w odsłuchiwaniu nadsyłanych płyt i w wyborze piosenek na antenę. Brzozowicz wiedział, że otwarty bunt daleko go nie zaprowadzi, więc zdecydował się na wojnę podjazdową. Kiedy tylko to było możliwe, podkradał nowości z paczki, słuchał ich i wybierał to, co jego zdaniem było najciekawsze. Było to bezdyskusyjne uzurpatorstwo, okraszone bezwstydnymi kłamstwami

Z Krzysztofem
Materną (bez
okularów) zro-
biliśmy razem
niejedno

typu: „Otworzyłem przesyłkę, bo ciebie akurat nie było" albo „Zabrałem te płytki do domu przez pomyłkę, myślałem, że to coś innego". Ktokolwiek miał choćby przelotny kontakt z Grzegorzem Brzozowiczem, wie, że może on wszystko pomylić, ale nie płyty.

Konrad Piasecki, przemieszczający się bezszelestnie po korytarzu na Królewskiej, dziś ma własny program *Piaskiem po oczach*, w którym odpytuje najważniejsze osoby w państwie. Karolina Korwin-Piotrowska, która w naszej stacji zajmowała się kulturą, a przede wszystkim filmem, obecnie jest obiektem godnej pozazdroszczenia nienawiści przeróżnych polskich celebrytów. Odważnie wytyka im zaściankowość, szmirę i samouwielbienie. Żeby nie było, że stała się zgorzkniałą jędzą, dodam, że w swoich wystąpieniach również chwali niektórych, ale rozważnie i bez kumoterstwa. Katarzyna Sławińska po okresie współpracy z Kolorem również znalazła się w TVN i w krótkim czasie wyjechała do USA jako korespondent stacji. Panowie Michał Olszański i Tomasz Gorazdowski reprezentują dawną kolorową drużynę w Programie III Polskiego Radia, a Michał dodatkowo pyta na śniadanie w TVP2. Specjalizujący się w naszym radiu w country Wojciech Cejrowski rozwinął skrzydła jako piszący i filmujący podróżnik, a także głosiciel bardzo wyrazistych poglądów. Jego niezwykle konserwatywny światopogląd dawał o sobie znać już w czasach Koloru. Pewnego razu wywołał zatarg między stacją a redakcją tygodnika „Polityka", dość dosadnie obrażając jej dziennikarza, który omawiał na naszej antenie najnowszy numer pisma. Skończyło się wymianą gniewnych listów między redaktorami i, nie po raz pierwszy i nie ostatni, apelem do W.C., aby powściągnął swój temperament i skoncentrował się na prezentowanej muzyce. A znał się na niej wybornie.

Beata Pawlikowska (której przedsiębiorczość doprowadziła do bezpłatnej promocji Koloru w niezwykle egzotycznych miejscach) już w czasach radiokolorowych miała ciągoty podróżnicze. Być może jej dzisiejsi zwolennicy nie wiedzą, że była również świetnie zorientowana w świecie muzyki rozrywkowej, a jej bardzo solidnie przygotowane audycje wygłaszane czarującym głosem stanowiły ozdobę naszej anteny. Z kolei pojawiający się

Tę żywą rekla-
mę załatwiła
radiu ówczes-
na dzienni-
karka Koloru
Beata Pawli-
kowska. Pod-
czas jednej ze
swoich egzo-
tycznych po-
dróży wystroiła
małego tubyl-
ca w naszą ko-
szulkę

regularnie w TVP Kultura Max Cegielski jeszcze jako nastolatek przyszedł do Koloru z kolegami jako „osoba towarzysząca". To oni, nie Max, chcieli spróbować swoich sił w radiu. Kiedy usłyszałem jego dźwięczny niski głos, od razu wiedziałem, że muszę jego właściciela zatrzymać w stacji. Namówiłem go, dzięki czemu Max zrobił wtedy swój pierwszy krok medialny.

Jest jeszcze jedna niezwykła postać nierozerwalnie związana z pierwszym etapem działalności Koloru – Wojtek B. Kiedy pojawił się na naszej rekrutacji, od razu zwrócił na siebie uwagę. Był na oko dwa razy starszy od innych, odziany konserwatywnie i dość niedbale, a w ręku trzymał klasyczną, sfatygowaną teczkę urzędniczą. Początkowo sądziliśmy, że pomylił adresy, ale skwapliwie potwierdził, że chce do radia. Mówił niewyraźnie, a raczej niewyraźnie mruczał. Wyciągnął ze swojej teczki jakiś bardzo sfatygowany świstek i powiedział: „To moje zaświadczenie, jestem członkiem Mensy, mam IQ...", i tu podał jakąś astronomiczną liczbę. Nigdy przedtem nie widziałem człowieka mniej nadającego się do pracy w pełnym młodzieży radiu, więc natychmiast postanowiliśmy go zatrudnić. Otrzymał, naturalnie, przezwisko IQ i został najdziwniejszym członkiem zespołu. Jego wysoki iloraz inteligencji okazał się prawdziwy. Pan Wojtek był chodzącą encyklopedią, wszystko pamiętał i był chyba nawet lepszy od redakcyjnego komputera. Był też nieco uciążliwy jako współpracownik. Lubił nocować w jednym z radiowych pomieszczeń, skwapliwie unikając takich czynności jak wietrzenie, sprzątanie czy zmywanie. Lubił też piwo, do tego chłodne, więc pewnej gorącej nocy wlał je luzem do eleganckiego dystrybutora źródlanej wody w butlach, zaklejając dokumentnie system rurek i kraników. Pytany, twierdził, że tak już było wcześniej. Pan Wojtek po odejściu z naszego radia chyba nie zrobił kariery w innych mediach. Nie pasował do miejsc, w których myśli się i postępuje racjonalnie.

Nie z powodu braku powagi, ale raczej z racji naszych rozpasanych działań programowych drogi z Pawłem Obrębskim w końcu się rozeszły. On po swojemu jako biznesmen próbował doprowadzić to przedsiębiorstwo do jakiej takiej równowagi finansowej, niestety z uszczerbkiem dla jakości antenowej. Ja, wciąż niewyleczony z myślenia o swoim radiu, podjąłem z Krzyśkiem próbę uzyskania ponownie koncesji na nową stację i, o dziwo, zdołaliśmy tego dokonać. Tak zaczęliśmy organizować Radio Pogoda, ale to już zupełnie inny rozdział.

Koncerty –
w duecie
z Wonderem

Zdarzało się, że w mojej bogatej karierze człowieka show-biznesu bywałem sprawcą bądź organizatorem ważnych koncertów.

Z dumą muszę powiedzieć, że to mnie miłośnicy rytmów reggaepodobnych zawdzięczają historyczny występ zespołu Madness w Warszawie w 1984 roku. A było to tak.

Zgłosił się do mnie przedstawiciel bardzo znanej firmy jeansowo-odzieżowej i zapytał, czy pomógłbym mu zorganizować promocję najnowszej linii kurtek, koszulek i spodni. Jest w kontakcie z centralą w zachodniej Europie i ma zgodę na zorganizowanie efektownego pokazu. Upewniłem się, czy słowo „efektowny" jest równoznaczne ze słowem „kosztowny", i po otrzymaniu potwierdzenia puściłem wodze fantazji. Powiedziałem przedstawicielowi, że polska młodzież wykupi całą produkcję jego firmy, jeżeli wesprze swoją markę występem jakiegoś modnego zachodniego wykonawcy. Oszołomiony tą perspektywą przedstawiciel poprosił mnie o wytypowanie podmiotu wykonawczego. Zacząłem oczywiście z grubej rury i kazałem przedstawicielowi sprowadzić Rolling Stonesów. Ku mojemu absolutnemu zdumieniu z kamienną twarzą przyjął tę propozycję i powiedział tylko: „Muszę sprawdzić w centrali". Pomyślałem, że mam do czynienia z wariatem, i przestałem myśleć o imprezie. Tydzień później wariat zadzwonił i powiedział, że Rolling Stonesi nie mają terminu, więc centrala prosi o inne wskazanie. Teraz już byłem całkowicie przekonany, że padam ofiarą jakiegoś przekrętu.

W związku z tym, że właśnie wówczas z upodobaniem słuchałem nagrań bardzo modnej grupy Madness, na odczepnego rzuciłem, że może być w takim razie Madness. Nikt poza mną samym nie jest w stanie zrozumieć, co czułem, kiedy po dwóch dniach tajemniczy przedstawiciel jeansowych spodni spotkał się ze mną w hotelu Victoria i powiedział: „Madness już mamy, rób resztę." Na potwierdzenie pokazał mi jakieś papiery, z których wynikało, że topowa wówczas brytyjska grupa przyleci do Warszawy na specjalny występ z okazji promocji spodni. Mniejszym drukiem było napisane, że wystąpią z playbacku. Nie dyskutowałem, bo już sam fakt przyjazdu tak renomowanej formacji był jak na owe czasy sensacją. Przygotowania ruszyły pełną parą, a reżyserię wydarzenia powierzyłem doświadczonemu koledze z telewizji Zbyszkowi Proszowskiemu. Całość zorganizowana została w salach hotelu Victoria. Były migające światła, motocykle, modelki, porządne nagłośnienie i... gwiazda wieczoru.

Przyjechali we własnych osobach, ubawieni tym, że trafiła im się tak łatwa chałtura. Nie musieli robić prób dźwiękowych ani martwić się ewentualną niedyspozycją głosową. Przywieźli tylko lżejsze instrumenty, bez potrzeby włączania ich w różne wzmacniacze i inne pudła. W związku z tym tuż przed koncertem okazało się, że nie mają perkusji, bo i po co? Nie można było jednak lekceważyć widzów i bębniący Daniel „Woody" Woodgate musiał jednak usiąść za skromnym choćby, ale jednak zestawem bębnów. To nie była Warszawa XXI wieku, gdzie na każdym rogu mieści się wypożyczalnia instrumentów. W tych zamierzchłych czasach liczyły się wyłącznie prywatne układy i kontakty. Dzięki temu wypożyczyłem zupełnie przyzwoite bębny od mojego kolegi, perkusisty amatora Antka P. Wszyscy byli szczęśliwi, łącznie z bębnodawcą, bo w końcu kto w tamtych czasach mógł się pochwalić tym, że w jego perkusję walił gość z Madness.

Wieczór w Victorii był bardzo udany, a członkowie zespołu bawili się chyba najlepiej, usiłując trafić w playback i pękając ze śmiechu, kiedy

Anglicy z Mad-
ness bawili
publiczność,
jednocześnie
sami doskona-
le się bawiąc

słychać było śpiew, a śpiewak akurat pił wodę albo co innego. Nieoficjal-
na kontynuacja wieczoru w nocnym klubie Czarny Kot potwierdziła jeszcze fakt, że Anglicy są rozrywkowymi, miłymi, bezpośrednimi ludźmi. Polskie korzenie towarzyszącego im menadżera dodatkowo przypieczętowały
braterstwo na śmierć i życie. W efekcie tego przedsięwzięcia pozostałem
z bardzo miłymi wspomnieniami oraz kilkoma sztukami markowej garderoby w za małych rozmiarach.

Zupełnie innego kalibru wyzwaniem w maju 1989 roku była organizacja
jedynego w Polsce koncertu prawdziwej megagwiazdy, którą był Stevie
Wonder. Naszej z Krzyśkiem Materną spółce trafiła się taka gratka i mimo
spodziewanych wielkich problemów nie mogliśmy z niej zrezygnować.

Dołożyliśmy wszelkich wysiłków, by wizyta światowej gwiazdy wypadła jak najokazalej.

Miejsce planowanego koncertu było też okazałe, choć niełatwe, mianowicie zabytkowy Stadion Dziesięciolecia, a właściwie jego resztki. Z daleka wyglądał jeszcze jako tako, ale z bliska wiadomo było, że nie spełnia wielu elementarnych warunków wymaganych przy okazji masowej imprezy estradowej. Już choćby brak zaplecza sanitarnego powinien dyskwalifikować to miejsce. Ale dla chcącego... Na murawie stadionu powstała imponująca scena, udało się doprowadzić do niej stosowną elektryczność, wydrukowało się bilety, zadbało o stosowną reklamę i wszystko zmierzało ku szczęśliwemu uwieńczeniu naszych wysiłków.

W kraju,
w którym
wszystkiego
brakowało,
nawet takie
bilety były
niezwykłym
osiągnięciem

Ale musiały być jakieś ale. Na przykład zawarta w tak zwanym readerze uwaga o potrzebie dostarczenia sporej ilości lodu podczas koncertu. Ta spora ilość wielokrotnie przekraczała możliwości różnych kuchni i restauracji w mieście stołecznym. W tamtych czasach statystyczny Polak nie miał odruchu chłodzenia napojów, a jak już w bardzo eleganckich okolicznościach pił drinka z lodem, to ten lód miał rozmiary kozich bobków. Kapitaliści żądali niemożliwego. Ale od czego polska pomysłowość. W nocy przed koncertem różne chłodnie i zamrażarki wypełniły się kublami i miskami z wodą, z której – jak wiadomo – w niskich temperaturach robi się lód. Następnego dnia wystarczyło młotami porozwalać te ogromne zamarznięte pecyny i dowieźć Amerykanom na stadion. Byli zadowoleni, choć trochę się dziwili, że mamy takie nietypowe kostkarki, które nie trzymają żadnej znanej im normy. Ale w końcu lód to lód.

Dla mnie największym wyzwaniem miało być spotkanie z gwiazdą. Miałem być jej tłumaczem, pilotem i prowadzącym konferencję prasową. Stevie Wonder w tamtym okresie naprawdę był gigantyczną sławą, więc niepokoiłem się, czy nie natrafię na jakieś niespodziewane żądania bądź kaprysy. Nic z tego. Okazał się skupionym, ciepłym człowiekiem, choć początki naszych kontaktów były niepokojące. Zanim dopuszczono mnie do gwiazdy, musiałem odbyć rozmowę z jej osobistym opiekunem, który być może testował mnie, przedstawiciela nieznanego dzikiego kraju, po to, abym nie zraził bądź nie zniechęcił czymś artysty. Test musiał wypaść dobrze, bo opiekun z uśmiechem zapewnił mnie: „Stevie cię polubi".

Pierwsza rozmowa z piosenkarzem od razu usunęła wszystkie moje wątpliwości. Słuchał uważnie tego, co mówiłem, najwyraźniej wszystko rozumiał i zadawał sensowne pytania. Niepokoił mnie trochę ewentualny przebieg konferencji prasowej. Zwykle ustalałem któryś z wariantów. Albo osoba mówiąca sama przerywa wypowiedź, robiąc mi miejsce na tłumaczenie, albo ja daję znać, że już powinienem się włączyć, albo, co jest najtrudniejsze, odbywa się tłumaczenie symultaniczne, czyli wyższa szkoła jazdy. Na moje zawodowe pytanie opiekun Wondera ze spokojem zapewnił mnie, żebym się w ogóle nie przejmował, bo wszystko będzie wiadomo.

Zdenerwował mnie tym jeszcze bardziej, ale dodał, że Wonder już taki jest, że wszystko będzie okej. Sam gwiazdor w pewnym momencie wziął mnie za rękę, co mnie najpierw przestraszyło, a potem uspokoiło. Diabli wiedzą, jakie on miał w sobie fluidy, ale poczułem się zupełnie spokojnie i widziałem, że faktycznie wszystko pójdzie, jak należy. I rzeczywiście, cała konferencja prasowa udała się doskonale, a tłumacz (ja) też wypadł nie najgorzej.

To jednak nie był koniec moich przygód z ociemniałym gwiazdorem. Nadeszła pora występu. Wszystko przygotowane i, jak na nasze możliwości, zapięte na ostatni guzik. Nawet wydrukowaliśmy specjalne bilety, co w owych czasach wcale nie było takie normalne i oczywiste. Ale miało być o problemach. Otóż podczas koncertu Stevie miał przekazać dochód z płyty wydanej w Polsce jednej z fundacji na rzecz dzieci niepełnosprawnych. W trakcie występu artysty przewidziane było wręczenie czeku, który Wonder ofiarował na ten zbożny cel, w związku z czym należało zaaranżować przerwę w graniu i odbyć krótką część oficjalną. Stevie Wonder miał wyuczony układ estrady na pamięć, więc w sytuacji rutynowego występu, mimo iż nie widział, doskonale pamiętał, gdzie co i po co stoi. Mógł w miarę swobodnie poruszać się między instrumentem a mikrofonem i bawić publiczność bez obawy, że spotka go jakaś niemiła niespodzianka. Jednak taka nietypowa przerwa połączona z wręczaniem czy odbieraniem czegoś musiała zburzyć ten typowy tok jego pobytu na estradzie i wymagała dodatkowych ustaleń. Wonder zażyczył sobie, abym to właśnie ja był przy nim w trakcie tej miniceremonii, jako tłumacz i wsparcie topograficzne.

W odpowiednim momencie koncert został przerwany, na scenie pojawili się właściwi oficjele i bardzo zawodowo odbyliśmy proces przekazywania wspomnianego czeku. Zadowolony, że wszystko poszło gładko, powiedziałem po cichu Wonderowi, że zostawiam go na drugą część koncertu. I tu niespodzianka. Przebiegły Negr ani myślał puścić mnie od siebie. Trzymając mnie bardzo mocno za rękę (a siłę miał niebagatelną), powiedział do mikrofonu, że chciałby teraz dla publiczności i dla tych obdarowanych wykonać swój wielki przebój *I Just Called to Say I Love You*. Żeby podkreślić swoją sympatię do wszystkich i wszystkiego dookoła, wykona ją razem ze swoim przyjacielem Wojtkiem. Zaczęły mi latać ciemne płaty przed oczami, bo nie śpiewam nawet w okolicznościach kameralnych wobec ludzi bardzo dyskretnych, a co dopiero z Wonderem dla wielotysięcznej widowni. Próbowałem upartemu gwiazdorowi coś mówić, że zostawiłem zupę na ogniu, ale ten nadal trzymał mnie bardzo mocno i całkowicie przestał rozumieć, co mówię. Nie miałem wyjścia. Wonder śpiewał, ja buczałem jak najciszej, a gwiazda, niezadowolona, dźgała mnie łokciem w bok i teatralnym szeptem mówiła: „Głośniej, Wojtek, głośniej". Gdybym wiedział, że do czegoś takiego dojdzie, na czas pobytu wielkiego Wondera udałbym się na wczasy do Bułgarii albo do NRD. No, ale stało się. Na szczęście na zdjęciach nie słychać, jak śpiewałem. Teraz, po latach, zastanawiam się: a może jednak śpiewałem bardzo ładnie?

Wpływ tej niesamowitej muzycznej machiny, jaką był S.W. z towarzyszącym mu gronem muzyków, był piorunujący. Dam przykład: wieczorem po koncercie część ekipy gwiazdora bawiła się w jednym z nielicznych czynnych wieczorem lokali warszawskich, czyli we wspomnianym już klubie Czarny Kot w hotelu Victoria. Odbywały się tam występy artystyczne, które polegały na tańcach (głównie kobiecych), pieśniach i innych sztukach wieczorowych. Przygrywał klezmerski zespół na swoich średniej klasy instrumentach, wytwarzający typową dla późnego komunizmu dancingową estetykę muzyczną.

Podochoceni członkowie ekipy Wondera w pewnym momencie poczuli chęć zagrania w klubie po swojemu. Bardzo grzecznie skierowali do muzyków rezydentów pytanie, czy mogliby na chwilę zająć ich miejsce i skorzystać z ich sprzętu. Zachwyceni dancingowcy zgodzili się natychmiast. I tu zdarzył się cud. Kilku czarnoskórych balangowiczów lekko poprzestawiało pokrętełka przy aparaturze stojącej na scenie i nagle socjalistyczno-nocny Czarny Kot przeistoczył się w superklub z serca Manhattanu. Wydobywana z tych samych, dotychczas taniutko brzmiących urządzeń muzyka brzmiała porywająco. Trudno było uwierzyć, że to jest to samo miejsce, ten sam sprzęt i ta sama estradka. Nic jednak nie trwa wiecznie. Uprzejmi amerykańscy muzycy punktualnie zakończyli swój improwizowany występ i na koniec zrobili coś strasznego. Mianowicie precyzyjnie przywrócili poprzednie ustawienia aparatury lokalnego zespołu. Polscy muzycy byli tak załamani tym, że nigdy w życiu już się nie dowiedzą, jak to wszystko trzeba ustawić, że podobno w krótkim czasie rozwiązali swój zespół. Boleśnie uświadomili sobie, że trochę im jeszcze brakuje do klasy międzynarodowej. Dodam, że na upowszechnienie się produkcji lodu w formie regularnych kostek też jeszcze musieliśmy trochę poczekać.

Pięciu artystów, z którymi chciałbym wystąpić na scenie (nie licząc Steviego Wondera)

1. **The Beatles** – natychmiast przeszedłbym do historii, wrzask widowni zagłuszyłby moje fałsze, a poza tym nikt by się nie czepiał, że mam długie włosy.

- -

2. **Louis Armstrong** – cząstka jego ciepła i fantastycznej muzykalności musiałaby przylgnąć do mnie.

- -

3. **Stevie Ray Vaughan** – muzyka tak pełna elektryczności, że pewnie uniósłbym się w powietrze.

- -

4. **The Doors** – mógłbym też zostać na imprezie po koncercie…

- -

5. **Monica Bellucci** – zresztą nie musi być na scenie i niekoniecznie występ.

- -

Festiwale

Przez długi czas uważałem takie zjawisko jak festiwale za nieco obciachowy rodzaj festynu,

do którego należy odnosić się z dystansem, a nawet pogardą. Mówię tu raczej o formie, a nie o zawartości, ponieważ wielokrotnie dzięki festiwalom poznawałem interesujących artystów czy wartościowe piosenki. Mam na myśli raczej cały ten sztafaż ludyczny oraz zdecydowaną przewagę bujania się w amfiteatrze i machania misiami nad słuchaniem wysiłków wykonawców. Stąd też mój długoletni upór w odrzucaniu propozycji jakiegokolwiek czynnego udziału w festiwalach.

W miarę rozwijania się mojej kariery radiowej propozycje zaczęły napływać szerszym strumieniem. Pamiętam długą rozmowę z reżyserem Jerzym Gruzą, który przekonywał mnie, że udział w festiwalu sopockim w roli konferansjera jest naprawdę ukoronowaniem marzeń każdego. Wtedy zdołałem dać odpór i festiwal, ku rozpaczy całej Polski, odbył się beze mnie.

Przyszła jednak chwila, kiedy moje żelazne zasady uległy zmiękczeniu. Doszła do tego towarzysząca mi przez całe życie ciekawość i chęć obejrzenia festiwalowego przedsięwzięcia od kulis. Edycja festiwalu sopockiego, którą współprowadziłem w 1987 roku, naśladowała nieco konkurs Eurowizji i dodatkową atrakcją poza śpiewami konkursowymi było głosowanie przeprowadzone na żywo za pomocą łączenia się z kolejnymi ośrodkami telewizyjnymi w kraju. Gdy doszło do uruchomienia tego wspaniałego popisu techniki, okazało się, że chyba gdzieś jakiś kabelek nie stykał albo może nieświadomy niczego żuczek wszedł do gniazdka i spowodował zwarcie. W rezultacie cała ta imponująca transmisja posypała się już w pierwszych minutach. Kontaktujący się ze mną i z Operą Leśną redaktor ze studia na Woronicza wpadł w panikę i jedyne, na co było go stać, to wydawanie z siebie rozpaczliwych stęknięć i dramatycznych okrzyków typu: „Straciliśmy Szczecin" albo „Nie mamy już Wrocławia". Brzmiało to potwornie dramatycznie i gdyby ktoś słuchał wyłącznie dźwięku, to mógłby pomyśleć, że Polskę najechali wszyscy sąsiedzi wspierani przez Szwedów i Tatarów.

Ze wstydem muszę przyznać, że marzyłem o czymś takim. Uwielbiam, jak coś się wali, jak uporządkowane scenariusze trzeba na żywo jakoś ratować. Publiczność też zresztą lubi takie niespodzianki i potrafi docenić sposób radzenia sobie z kryzysem przez prowadzącego. Ja czułem się jak ryba w wodzie, improwizowałem, gadałem do widowni i wszyscy świetnie się chyba bawiliśmy. Dowodem na skuteczność mojego występu jest chyba przyznany mi wkrótce później Wiktor, czyli prestiżowa nagroda telewizyjna.

Z dumą dodam, że w Sopocie bywałem nie tylko konferansjerem, ale też jurorem. Był rok 1987, kiedy to zostałem zaproszony do oceniania dnia polskiego podczas XXIV Międzynarodowego Festiwalu Piosenki w Sopocie. Obok mnie w jury zasiadła grupa panów z różnych krajów, pośród których najznamienitszą postacią był Amerykanin Nesuhi Ertegun. Nesuhi, wraz ze swym bratem Ahmetem, kierował słynną wytwórnią płytową Atlantic. Był menadżerem i producentem, odpowiedzialnym między innymi za ściągnięcie do Atlantic takich gigantów jak Charles Mingus czy John Coltrane. W Sopocie poza koncertami czuł się trochę zagubiony. Nie orientował się w lokalnych realiach do tego stopnia, że próbował wymieniać dolary w hotelowym kantorze po bezczelnie zaniżonym kursie. Na szczęście przeszkodził mu w tym inny członek jury (jako osoba dyskretna, ograniczę się jedynie do podania inicjałów owego dobroczyńcy: W.M.), który skierował legendę amerykańskiego rynku muzycznego do odpowiednio sprawdzonego ruchomego punktu wymiany o imieniu, bodaj, Stasiek. Ertegun pokazał prawdziwą klasę podczas obrad rzeczonego jury. Patrzyłem i podziwiałem. Chodziło mianowicie o to, że międzynarodowe jury, a był tam także Turek, Czech, Holender, Rosjanin radziecki i chyba także Skandynaw, upatrzyło sobie dość szybko zwycięzcę konkursu. Nesuhi Ertegun był w mniejszości, gdyż miał zupełnie innego faworyta. Nie przyznał się jednak do tego i zaczął swoje przemówienie od wyrażenia całkowitej zgody z pozostałymi jurorami. Następnie, dając w ciągu piętnastu minut niewiarygodny pokaz dyplomacji i umiejętności przekonywania, doprowadził skołowane towarzystwo do wydania zupełnie innego werdyktu. Mistrz nad mistrze – należał mu się przyzwoity przelicznik dolara.

Festiwale sopockie poza tego rodzaju niespodziankami były dla mnie atrakcyjne również ze względu na zapraszane tam co jakiś czas wielkie gwiazdy ze świata. Przypominam, że w tamtym systemie podaż wykonawców międzynarodowego formatu była bardzo niewielka, więc każdy, kto się choć trochę liczył w światowym show-biznesie, był w Sopocie bardzo, bardzo ważną osobistością. Organizatorzy nie zawsze konsultowali swoje zamiary importowe z ludźmi, którzy mieli pojęcie o światowym rynku, więc zdarzały się im często wpadki. Największą było sprowadzenie do Sopotu brytyjskiego trubadura z lat sześćdziesiątych, Donovana. W założeniu miała przyjechać ówczesna gwiazdeczka jednego sezonu, niejaki Jason Donovan, ale nikt przecież nie będzie się wykłócał o imię. Miał przyjechać Donovan, był Donovan. Tylko publiczność w Operze Leśnej oraz sam artysta czuli, że coś jest nie do końca w porządku.

Bywały dramatyczne akcje sprowadzania artysty zastępczego, bo ten główny z jakiegoś powodu nie dotarł na czas. Spotkania ze światowymi gwiazdami często burzyły moje wyobrażenie o ich światowości i gwiazdorstwie. Mimo iż byłem prawdziwym fanem muzyki, to zdarzało mi się w sopockim Grand Hotelu otrzeć o jakąś znakomitość i nie rozpoznać jej. Zamiast tłumu menadżerów, asystentów, kierowców i ochroniarzy widywałem często nieco zagubione i nieprzypominające swego wizerunku z okładek płyt osoby. Pamiętam spotkanie ze znaną kiedyś amerykańską

Występowa-
łem na róż-
nych festiwa-
lach, w tym na
takich, których
nie mogę sobie
przypomnieć

piosenkarką Helen Reddy. Nasz pierwszy kontakt był taki, że niemal wszedłem na nią, kiedy w burym szlafroczku wyszła na korytarz hotelowy
i usiłowała się czegoś dowiedzieć, chyba na temat posiłków. Wziąłem ją
za nieco zaniedbaną samotną turystkę i zamiast poprosić o autograf, powiedziałem, żeby sobie zadzwoniła do recepcji.

Umiałem porozumiewać się po angielsku, bywało więc, że dodatkowo
pełniłem funkcję tłumacza, co dawało możliwość złapania nieco lepszego kontaktu z odwiedzającymi Sopot gwiazdami. Przyjechała tam kiedyś
angielska piosenkarka Kim Wilde, bardzo atrakcyjna wizualnie kobieta,
mająca na koncie kilka znaczących międzynarodowych przebojów. Już na
pierwszy rzut oka widać było, że czuje się w Polsce niepewnie, ani na chwilę nie pozwalała odejść od siebie osobom towarzyszącym. Nie chciałbym
przypisywać sobie zbyt wielu zasług, ale mam wrażenie, że moja rozmowa
z Kim trochę ją uspokoiła, zwłaszcza gdy zorientowała się, że rozumiem
zdecydowaną większość tego, co mówi. Nagrodą było wyraźnie zwiększone zaufanie do mojej osoby i prośba, żebym na wszelki wypadek był
w pobliżu.

Nawet artyści największego kalibru czuli jakiś niepokój, przekraczając żelazną kurtynę. Tak też było w wypadku Johnny'ego Casha. Cash to
była stuprocentowa amerykańska legenda. Wielkim błędem jest przyklejanie do niego jednoznacznej etykietki z napisem „country". Cash był
ucieleśnieniem tego, z czego składa się amerykańska tradycja muzyczna.
Zaczynał w 1955 roku w legendarnym studiu Sama Phillipsa w Memphis,
dokładnie tam, gdzie pierwsze dźwięki rejestrował młody Elvis Presley, toteż obok country miał we krwi rock and rolla, bluesa, balladę, rockabilly,
gospel – całą gamę stylistyczną współczesnej amerykańskiej muzyki rozrywkowej. Niezliczone przeboje, płyty, skandale, koncerty w więzieniach,
uzależnienia, upadki i wzloty – to cały Johnny Cash.

Gigant amerykańskiej muzyki nie powinien mieć stresów, tym bardziej że przyjechał do Polski nie tylko z ukochaną żoną June Carter, ale
i z bardzo liczną grupą ciotek i kuzynów, z którymi wspólnie występował. Jakież było moje zdumienie, kiedy podczas konferencji prasowej,

Johnny Cash, za zgodą żony June Carter, dał mi potrzymać swój strój w gwiazdki

Tak dobrze trzymałem, że podczas konferencji prasowej strój na Johnnym leżał znakomicie

siedząc tuż obok Casha, wyraźnie widziałem jego trzęsące się dłonie i zlaną potem twarz. Później przyszło mi do głowy, że może to nie tylko stres, ale reakcja organizmu na jakieś wydarzenie bądź specyfik, którego przyjęcia nie byłem świadkiem. Mimo tak wyraźnej niedyspozycji Johnny Cash był bardzo grzecznym i skromnym człowiekiem, przynajmniej podczas pobytu w Sopocie. Niestety jego występ przekroczył wszelkie normy wytrzymałości sopockiej widowni. Coraz to zmieniające się przy mikrofonie śpiewające ciotki przedłużały niemożebnie koncert, powodując znużenie i zniecierpliwienie publiczności.

Jeżeli chodzi o moje prywatne, ale to bardzo prywatne wrażenia z Sopotu, to dotyczą one pewnej piosenkarki z Chin, niejakiej Wei Wei. Ze zdziwieniem spostrzegłem, że w ogóle nie przeszkadza mi język, w którym ona śpiewa, nie przeszkadza mi istniejąca między nami bariera językowa, nie przeszkadza mi właściwie nic, co dotyczy artystki z Chin. No, trochę przesadzam – przeszkadzał mi wszechobecny konsul czy jakiś mniej istotny dyplomata chiński, który nie odstępował ślicznej piosenkarki, uniemożliwiając mi skuteczne pokonanie dzielących nas barier. Odkrywając w sobie niezwykłe pokłady lepszego niż chiński sprytu, parokrotnie zdołałem poprzebywać z Wei Wei trochę bardziej prywatnie, czego dowodem może być zamieszczona nieco dalej fotografia. Niestety, uparty dyplomata dopadał nas wszędzie z niezwykłą determinacją. Pod koniec festiwalu podarował mi dość obrzydliwy niebieski krawat z chińskimi motywami. Tak jakby nie wiedział, że tego lata jedyny interesujący mnie chiński motyw nazywał się Wei Wei…

Wróćmy jednak z krainy marzeń do Sopotu. Należy tu powiedzieć, że imprezy w Operze Leśnej ograniczane były specyficzną cezurą czasową. Była nią godzina odjazdu ostatniego pociągu trójmiejskiego. Bez względu na atrakcyjność tego, co działo się na scenie, spora część publiczności doskonale wiedziała, że jeśli nie zdąży na ten ostatni pociąg, to czeka ją baaaaardzo długi spacer do domu, a nie wszystkim to się uśmiechało. Organizatorzy mieli tu niesamowity dylemat. Jak pogodzić międzynarodowy obyczaj umieszczania największej gwiazdy na końcu koncertu

Poza trzyma-
niem stroju
Casha w Sopo-
cie trzymałem
przez pewien
czas Wei Wei.
Ale niestety
niezbyt długo

z ryzykiem, że widownia będzie wówczas świecić pustkami. Paru artystów, w tym choćby Charles Aznavour, musiało się nieźle zdziwić, widząc, jak wraz z ich pojawieniem się na scenie widownia zaczyna pustoszeć. No, ale ten problem był wówczas nierozwiązywalny.

Obecność wątku country w mojej opowieści, jakkolwiek może nieco dziwna, jest w pełni usprawiedliwiona. Po pierwsze, muzyka country ma z rock and rollem bardzo silne związki, po drugie kojarzy się z Ameryką, a Stany w kontekście moich zainteresowań muzycznych były krajem niezmiernie ważnym. Przyznaję, że tradycyjne nagrania country and western raczej mnie nudziły, a ich estetyka nie porywała, ale tuż obok zawodzących gitar potrafiły tam pojawiać się też rytmy ostrzejsze, bardzo już blisko sąsiadujące z rockiem czy nawet bluesem. Symbolem obecności country w Polsce od dawna jest Mrągowo, gdzie przez lata odbywały się słynne pikniki. Zawsze był problem z numeracją tych pikników country. Brało się to stąd, że taki najpierwszy odbył się w dniach 23–26 września 1982 roku w Jeleniej Górze i dla wielu fanów mrągowskiej imprezy w ogóle się nie liczył.

No właśnie. Mrągowska impreza i jej geneza (wiersz mój – W.M.). Przed piknikiem country Mrągowo nie miało amfiteatru. To pięknie położone miejsce wypatrzył pracujący w *Studio 2* reżyser Zbyszek Proszowski. Spełniało wszystkie warunki. Było rewelacyjne widokowo, pozwalało skorzystać z luksusowego jak na owe czasy hotelu Mrongowia jako zaplecza hotelowo-gastronomicznego, nie sąsiadowało z osiedlami mieszkaniowymi, których lokatorzy mogliby mieć zastrzeżenia do działalności koncertowej. Przy pomocy żołnierzy z lokalnej jednostki wojskowej w krótkim czasie powstał amfiteatr i kapitalnie ulokowana nad samym jeziorem scena. Tam też od roku 1983 zaczęły odbywać się rokrocznie zloty miłośników muzyki country. Oczywiście siłą napędową imprezy byli ludzie ze stowarzyszenia muzyki ludowej, z Korneliuszem Pacudą na czele, a także Estrada Olsztyńska, ale obecność telewizji nadawała całości charakter ogólnopolski i oficjalny. Tak się również złożyło, że wraz z Korneliuszem Pacudą przez wiele lat prowadziłem koncerty podczas pikniku. Było to doświadczenie szczególne, gdyż zjeżdżająca tam z całej Polski publiczność dokładnie wiedziała, czego chce, a głównie chciała mieć *good time*. Lubili ten gatunek muzyki i potrafili przy piwie bawić się głośno, długo, ale nie agresywnie. Odnotowane w Mrągowie wybryki chuligańskie spowodowane były przez tak zwany element, który z typową dla elementu tępą głupotą robił wszystko, żeby innym zepsuć zabawę. Element pominiemy.

W krótkim czasie Mrągowo stało się symbolem dobrej i innej niż gdziekolwiek zabawy, toteż wielu artystów, tak naprawdę niemających z muzyką country nic wspólnego, próbowało załapać się na sukces w Mrągowie. Byli tacy, którzy przykleili się do muzyki country na dłużej, na przykład

Urszula Sipińska. Byli też tacy, którzy w atrakcyjnym letnim terminie chcieli zaliczyć jeszcze jeden festiwal. Niektórzy srodze się przeliczyli. Przypuszczam, że Maryla Rodowicz do dziś pamięta swą sromotną klęskę nad jeziorem Czos, kiedy nastawiona na country'owe granie publiczność zwyczajnie ją wygwizdała. Było też Mrągowo miejscem, w którym pojawiały się wielkie gwiazdy country, znane praktycznie tylko wtajemniczonym. Przeciętny meloman nie czułby się pewnie poruszony wiadomością, że w Mrągowie występuje Mickey Newbury, George Hamilton IV czy Johnny Rodriguez.

Dla zorientowanych były to koncerty wręcz sensacyjne. Ja osobiście pamiętam Mrągowo nie tylko ze świetnych imprez trwających do rana i poprawin w Mrongowii i okolicach. Ambicją organizatorów było wprowadzenie konferansjerów na estradę za każdym razem w inny, niecodzienny sposób. Było wjeżdżanie na koniu, były bryczki, były wojskowe jeepy. Mimo że chciałem być oryginalny, te pomysły bardziej mnie stresowały, niż bawiły. Na konia nie umiałem ani się wdrapać, ani na nim utrzymać, i właściwie to się go bałem. Amerykański jeep był *cool*, ale niestety nie był wymyślony dla korpulentnych żołnierzy, więc kierownica boleśnie wbijała się w mój przód i uniemożliwiała kawalerską jazdę. Był też pomysł, żeby mnie spuścić w balonie, ale po tym jak któraś z ważnych osób po próbnym locie skończyła gdzieś w kartoflisku, zrezygnowałem i z tej atrakcji. Jedna z oryginalnych koncepcji jednak do mnie przemówiła. Otóż na godzinę przed rozpoczęciem koncertu miałem się ukryć w zaroślach na kursującym po jeziorze Czos stateczku. Był to tajemniczy „samodział" wożący zaprzyjaźnionych turystów. Szyper i jednocześnie właściciel tej jednostki, a także towarzyszące mu osoby okazali się ludźmi gościnnymi i nieznoszącymi sprzeciwu. Ta godzina spędzona na ukrytej w chaszczach jednostce wypełniona była toastami, wędzonym węgorzem i zapewnieniami o wzajemnej dozgonnej przyjaźni. Kiedy nadeszło hasło dowiezienia mnie na pomost, byłem już całkowicie i nieodwracalnie zbratany ze wszystkimi towarzyszami rejsu. Dzięki temu pomocne dłonie uchroniły mnie przed utonięciem, ponieważ nie wcelowałem w pomost. Oczekująca rac humoru publiczność usłyszała coś w rodzaju lakonicznego „hej" czy może nawet „hej tam". Ktoś przytomny wskazał mi drogę do chatki na zapleczu, gdzie za pomocą kawy i innych ludowych metod zostałem doprowadzony do pełniejszej użyteczności. Chciałbym w tym miejscu od razu zdementować możliwe podejrzenia, że nie pracuję na trzeźwo. Wręcz przeciwnie. Te nieliczne wypadki, kiedy stałem się ofiarą odwiecznej słowiańskiej tradycji, trwale oduczyły mnie łączenia pracy z dopalaczami.

W Mrągowie, a właściwie w jego wczesnych latach, wszystko było inne i nieoczekiwane. Z tamtych czasów pozostał mi dyplom honorowego obywatela stanu Tennessee. Zostałem uznany przez Amerykanów za zasłużonego propagatora muzyki country na krańcach znanego Amerykanom świata, a skoro Nashville jest w Tennessee, to taki właśnie dyplom dostałem. Podejrzewam, że do niczego nie upoważnia, ale jest nietypową pamiątką i przywodzi na myśl miłe wspomnienia. Poza tym budzi zdumienie i zachwyt u tych, którzy nie są obywatelami stanu Tennessee.

THE STATE OF TENNESSEE

State Capitol

By **Ned McWherter,** Governor, on behalf of the people of Tennessee

Greetings: Be it hereby known that

Wojciech Mann

in recognition of qualities consistent with the proudest traditions of the people of Tennessee, has been accorded the status of

HONORARY CITIZEN OF TENNESSEE

and in recognition thereof is hereby presented with this certificate of honorary citizenship.

Given under my hand and the Seal of the State of Tennessee, this the 26th day of July, in the year of our Lord, 19 88.

Governor

Mimo że oficjalnie jestem honorowym obywatelem stanu Tennessee, Stany Zjednoczone nie zwolniły mnie z obowiązku wizowego

Pięć ulubionych piosenek filmowych

1. Audrey Hepburn, *Moon River* (*Śniadanie u Tiffany'ego*, 1961) – zawsze intrygował mnie fragment tego króciutkiego tekstu: „*my huckleberry friend*". Zastanawiałem się, czy to możliwe, aby zjawiskowa Audrey Hepburn śpiewała o psie z kreskówki? Dopiero niedawno dowiedziałem się, że autor słów, Johnny Mercer, w swojej autobiografii napisał, że chodzi o wspomnienie z dzieciństwa. Mercer ze swoim przyjacielem chodzili zbierać *huckleberries*, czyli borówki amerykańskie, i najwyraźniej mu to utkwiło w głowie.

---

2. Harry Nilsson, *Everybody's Talkin'* (*Nocny kowboj*, 1969) – Jon Voight jeszcze nie miał pojęcia, że parę lat później urodzi mu się Angelina Jolie. Pięknie się postarał. Aha, miało być o piosence – bardzo ładna!

---

3. Simon & Garfunkel, *Mrs. Robinson* (*Absolwent*, 1967) – ulubiony fragment synchronizacji obrazu i dźwięku, kiedy bohaterowi filmu kończy się benzyna i razem z samochodem zwalnia piosenka...

---

4. Dooley Wilson (Sam), *As Time Goes By* (*Casablanca*, 1942) – chyba jestem romantyczny...

---

5. Sława Przybylska, *Pamiętasz, była jesień* (*Pożegnania*, 1958) – tu również miałem problem językowy. Fragment tekstu brzmi:

I wtedy zrozumiałam: to się kończy,
Pożegnania czas już przekroczyć próg.

Tak naprawdę to do dzisiaj dokładnie nie rozumiem. Może chodzi o to, że czas przekroczyć próg pożegnania? Ale i tak mi się podoba.

PS: Z niepokojem zorientowałem się, że wszystkie te wymienione piosenki są bardzo stare. Potem sprawdziłem swój PESEL i się uspokoiłem.

Triumf rock and rolla nad biurokracją

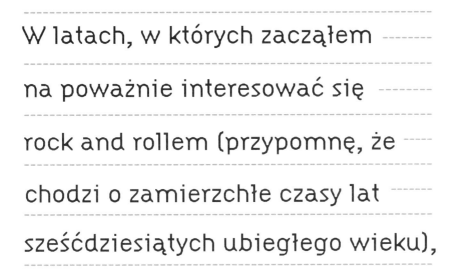

W latach, w których zacząłem na poważnie interesować się rock and rollem (przypomnę, że chodzi o zamierzchłe czasy lat sześćdziesiątych ubiegłego wieku),

zagranica, a konkretnie: zagranica ta na zachód od Polski, była fetyszem, niezbadaną rajską krainą Shangri-La, i do tego wyposażoną w miliardy bajkowych sklepów płytowych, w których można było spędzać większość życia. Dodam też, że swoboda podróżowania w Polsce ograniczała się w zasadzie do terenu naszego kraju, pod warunkiem że udało się kupić właściwy bilet i natychmiast po dotarciu do celu podróży zameldowało się, gdzie należy. Opiekuńczość władzy ludowej wymagała, aby ta władza dokładnie wiedziała, gdzie jesteśmy i w jakim celu.

Ta sama opiekuńczość kazała ówczesnej władzy chronić obywatela przed miazmatami kapitalizmu i dać mu bardzo dużo czasu do zastanowienia się, czy na pewno chce wyjechać. Po pierwsze potrzebne było zaproszenie, żeby człowiek nie jechał jak głupi w nieznane. Jak już się miało zaproszenie, można było wystąpić o paszport, a właściwie o jeden z wielu paszportów, jakimi dysponowały stosowne organa. W moim wypadku chodziło o ten poważniejszy rodzaj paszportu, który upoważniał do dwukrotnego przekroczenia granicy, czyli wyjazdu i powrotu. Oczywiście mówimy tu o Europie; były jeszcze paszporty upoważniające do odwiedzenia krajów pozaeuropejskich, ale to już nie mieściło się w głowie młodego człowieka z Powiśla. Kiedy już obywatel wystał swoje w kolejce i złożył obszerny kwestionariusz, a potem ewentualnie otrzymał wymarzony dokument, to mógł przystąpić do następnego etapu organizowania sobie wyjazdu.

Chodzi mianowicie o to, że polskie złotówki nie do wszystkiego się nadawały. Owszem, można było za nie kupić bilet lotniczy, ale było to najdroższe rozwiązanie i najzwyczajniej nie każdego było na to stać. Oczywiście Polska była cywilizowanym krajem i znane były takie formy podróżowania jak na przykład pociąg czy autokar. Pewnym utrudnieniem był jednak fakt, że można było za nie płacić wyłącznie w walutach wymienialnych, których posiadanie było praktycznie nielegalne. Istniała furtka w postaci specjalnego zezwolenia na opłacenie dewizowej podróży w złotówkach. Aby taką zgodę uzyskać, trzeba było przedstawić stosowne dokumenty, takie jak na przykład zaświadczenie lekarskie, że stan zdrowia podróżującego nie zezwala mu na latanie samolotem. Mój stan zdrowia niestety zezwalał. Trzeba było więc szukać innych sposobów. Szczęśliwym trafem dowiedziałem się, że młodzież ucząca się i studenci obdarzeni zostali przez stosowne władze pewną pulą zezwoleń na płacenie w polskich złotych. Udało mi się z tej puli takie zezwolenie uzyskać. Mało tego, po to żeby Polak jadący do kapitalistycznej dżungli Zachodu nie czuł się gorszy, nasza władza w swej szczodrobliwości pozwalała posiadaczowi paszportu i biletu wykupić po przystępnej cenie pewną sumę dolarów amerykańskich, co zupełnie inaczej ustawiało polskiego podróżującego finansowo. Limit wymiany wynosił pięć dolarów w dowolnych nominałach.

Kiedy już wszystkie niezbędne formalności miałem za sobą, wyruszyłem w pierwszą nieprawdopodobnie ekscytującą podróż do Londynu. Był rok 1964, czas beatlemanii, fantastycznej popularności Londynu, Carnaby Street, minispódniczek (to mnie nie dotyczyło) i oczywiście długich włosów. W związku z tym, że miałem co zapuszczać, wyglądałem bardzo modnie, i to nie tylko na górze, ale niespodziewanie również na dole. Jakimś zupełnie niebywałym zrządzeniem losu natrafiłem w warszawskim sklepie obuwniczym na sztyblety, które wyglądały prawie jak beatlesówy.

Nie miały co prawda cholewki, ale była guma i przykryte spodniami wyglądały rewelacyjnie. Dzięki tym dwóm jakże ważnym elementom (góra i dół) stałem się obiektem poważnego zainteresowania wycieczki holenderskich uczennic, które spotkałem na promie płynącym przez kanał La Manche. Wszystkie były piękne, genialnie ubrane, uśmiechnięte, bez pryszczy, więc gotów byłem ożenić się z nimi wszystkimi jeszcze na promie. Wypytywały mnie o muzykę w Polsce, a moja wiedza na temat tego, co dzieje się na listach przebojów, pozwalała mi jeszcze bardziej zwiększyć moją atrakcyjność. Niestety gdzieś tak w połowie kanału wylazł skądś prawdziwy Anglik, który miał dłuższe włosy, a buty wysokie, i to zamszowe. Nie miałem szans. Holenderki przerzuciły się na oryginał. To jednak tylko drobna dygresja, zresztą chyba dobrze się stało, że nie ożeniłem się z tą wycieczką, bo nie wiem, ile pociągnęlibyśmy za moje pięć dolarów.

I wreszcie Londyn. Londyn mnie wchłonął, zauroczył, oszołomił i przytłoczył. Nagle wszystko, co brzmiało jak jakaś nierealna bajka, stało się codziennością i było w zasięgu ręki. W kinach szły filmy, o których w domu tylko cokolwiek wiedziałem z trzeciej ręki, w modnych sklepach były sterty ubrań, których echo w postaci marnych podróbek widywało się w warszawskich salonach, no a całkowitym szokiem była wizyta w sklepie His Master's Voice przy Oxford Street, w którym na kilku piętrach było więcej fantastycznych płyt niż w całym RWPG. Wspomniane pięć dolarów to był oczywiście żart komunistów, więc czym prędzej trzeba było zadbać o jakieś fundusze, tym bardziej że korzystanie z gościnności i hojności krewnych i znajomych było dla mnie czymś niezwykle krępującym.

Rozwiązaniem była oczywiście praca na czarno, której tak naprawdę w Londynie nie brakowało, o ile człowiek miał w sobie trochę śmiałości i przynajmniej śladową znajomość języka. Mogę z dumą powiedzieć, że już wtedy dawałem sobie z angielskim radę zupełnie przyzwoicie, więc ominęły mnie najprostsze zajęcia wymagające wyłącznie siły fizycznej. Podczas pierwszego i kolejnych pobytów w Anglii pracowałem głównie w hotelach, choć trafił się też epizod w pubie, a także, co napawało mnie szczególną dumą, w biurze podróży. Zajęciem, które wymagało specjalnych

Rok 1972: po
zakupach
w pierwszym,
niewielkim
sklepie Virgin
Records
w Notting Hill
Gate. Niewy-
kluczone, że
w środku pil-
nuje intere-
su sam Richard
Branson

Triumf rock
and rolla nad
biurokracją

184 _____

umiejętności, była też moja praca w firmie Dinerman. Ta dość szczegól-
na placówka zajmowała się wysyłaniem paczek do republik ówczesnego
Związku Radzieckiego. Paczki były wysyłane do rosyjskich Żydów, a organizowane dzięki funduszom z Izraela oraz żydowskich rodzin mieszkają-
cych w Anglii. Moja niezbyt biegła, ale jednak znajomość rosyjskiego była
tu niezwykle przydatna, ponieważ niektóre dokumenty wypełniało się na
maszynie, i do tego cyrylicą. I tu się bardzo mogłem przydać. Ponadto, jako
chłopiec bystry, w mig nauczyłem się szybkiego pakowania i wiązania paczek sznurkiem, co pozostało mi do dzisiejszego dnia – jak tylko widzę jakąś paczkę, to zaraz ją błyskawicznie i solidnie wiążę.

Ogromnym atutem pracy u Dinermana był fakt, że firma ta mieściła
się niemal przy samym Piccadilly Circus, toteż wychodząc z pracy, natychmiast znajdowałem się w centrum świata. A wychodząc z pracy

w piątek, z wypłatą, znajdowałem się w raju. Szaleństwa nie ograniczały się wyłącznie do kina i sklepów płytowych. Korzystając z nawiązywanych kontaktów, zacząłem bywać. Na przykład w modnej wówczas dyskotece Revolution. Revolution, która poważnie różniła się od klubokawiarni Związku Młodzieży Socjalistycznej istniejących w Warszawie. Choć jeden wątek był wspólny. Mam na myśli elementy radzieckie. W Revolution wisiały plakaty z okresu rewolucji 1917 roku. Muzyka była jednak bardzo zachodnia, modna i głośna. Panowała tam świetna atmosfera i wypadom towarzyszył dodatkowo dreszczyk emocji, gdyż nigdy nie było wiadomo, czy nie spotka się tam kogoś sławnego. Mnie również nie ominęła ta przyjemność. Siedząc pośród huku i patrząc na tańczących, paliłem sobie papierosa (palenie jest bardzo szkodliwe i już nie palę). Obok mnie siedział facet w skórzanej kurtce i najwyraźniej też chciał zapalić, ale nie miał czym. Poprosił mnie o ogień i przy tej okazji zamieniliśmy parę przyjaznych zdań. Potem klepnął mnie po plecach i poszedł do baru. Kiedy wstał, zobaczyłem w migającym świetle, że ten, jak się okazało, bardzo wysoki mężczyzna to znakomity brytyjski wokalista Long John Baldry. Dodam, że L.J.B. jest dla dzisiejszego fana muzyki zapewne nic niemówiącym nazwiskiem. Tymczasem ten wysoki gość z papierosem był niezwykle istotną postacią angielskiego bluesa i popu lat sześćdziesiątych. Zaczynał karierę w doskonałym towarzystwie – w zespole Alexisa Kornera Blues Incorporated. Później występował wraz z Rodem Stewartem, Julie Driscoll i Eltonem Johnem w legendarnych grupach, takich jak Steampacket czy Bluesology. Dzisiaj może nie brzmi to jakoś szczególnie sensacyjnie, ale w kontekście świata, z którego do tego Londynu przyjechałem, było to wydarzenie wstrząsające.

Znając z telewizji takie zjawiska jak festiwal w San Remo czy festiwal Eurowizji, cały czas tkwiłem w przekonaniu, że to zabawa mająca niewiele wspólnego z muzyką, która naprawdę mnie interesuje. Marzyły mi się prawdziwe rockandrollowe przeżycia, w towarzystwie wykonawców znanych mi na razie wyłącznie z płyt. Marzenie to niespodzianie ziściło się właśnie podczas jednego z pobytów w Londynie. W tym genialnym mieście od pierwszych chwil pobytu pławiłem się w jego atmosferze wolności i obfitości wszystkiego, czego mi tak bardzo brakowało nad Wisłą. Nie muszę chyba dodawać, że obiektami mego szczególnego uwielbienia były sklepy płytowe. Potrafiłem w nich spędzać całe godziny. Oglądałem, chłonąłem, przebierałem i słuchałem. W genialnym sklepie Virgin w Notting Hill Gate można było bez końca leżeć na poduchach i słuchać wybranych płyt. Tam też pewnego dnia natrafiłem na ulotkę informującą o wielkim festiwalu rockandrollowym, który ma się odbyć na Wembley. Nazwiska, które ulotka zapowiadała, przyprawiły mnie o drżenie serca. Zakładając, że realia angielskie nie różnią się aż tak bardzo od polskich, przyjąłem za pewnik, że bilety są już dawno rozdrapane i mogę się najwyżej obejść smakiem. Ale jednak tam się znalazłem. Pomogła mi troszeczkę tylko podrobiona polska legitymacja prasowa, bardzo zgrabnie oprawiona przeze mnie w elegancką twardą okładkę w płótnie.

No i patrzcie państwo: był tłum młodych ludzi, było piwo, była zabawa, tańce i śpiewy bez policyjnych kordonów i zagrożenia życia. No a przede wszystkim fantastyczna muzyka. W ciągu dwóch dni przez scenę przewinęły się legendarne angielskie i amerykańskie gwiazdy, o których zobaczeniu mogłem dotąd tylko marzyć... Wystarczy zerknąć na plakat. Przy takim zestawie wykonawców każdemu miłośnikowi rock and rolla gwałtownie zaczęłoby wzrastać ciśnienie.

Niezależnie od atmosfery, muzyki i organizacji byłem zachwycony wydarzeniem, które nastąpiło pod koniec imprezy. Organizatorzy dostali od stosownych władz zgodę na prowadzenie koncertu do określonej godziny, powiedzmy, dwudziestej drugiej trzydzieści. Trochę po dwudziestej drugiej na scenę wszedł supergwiazdor Chuck Berry. Rozgrzana widownia powitała go spontanicznym rykiem, a Chuck jeszcze podkręcał atmosferę. Nagle, zanim artysta naprawdę się rozegrał, zgasły wszystkie światła. Zarządzenie stosownych władz zostało punktualnie wprowadzone w życie i imprezę pozbawiono zasilania. Ktoś pociągnął za wajchę i nagle zrobiło się cicho i ciemno. Ze smutkiem zacząłem zbierać się po ciemku do wyjścia, kiedy usłyszałem triumfalny okrzyk prowadzącego: „Wiedzieliśmy, że

THE ROCK N ROLL Show

THE FIRST EVER MUSIC FESTIVAL AT

WEMBLEY STADIUM AUG 5TH

LITTLE RICHARD | JERRY LEE LEWIS | CHUCK BERRY

M.C. 5   BO DIDDLEY
LORD SUTCH GARY GLITTER THE MOVE
PLATTERS ★ DRIFTERS ★ COASTERS

TICKET PRICES: £1.20 £1.80 £2.30 £2.50 £2.80

LATEST   INQUIRIES WEMBLEY STADIUM 01 902 1234

BILL HALEY & THE COMETS
BILLY FURY. EMPEROR ROSKO

SAT AUG 5TH ALL DAY

tak będzie, odcięli nam zasilanie, ale byliśmy na to przygotowani – mamy za sceną własne agregaty, jedziemy dalej!". I rzeczywiście, po krótkiej chwili włączyły się światła na scenie, wzmacniacze się zagrzały i ruszyło nagłośnienie koncertu. Przygotowane agregaty nie były jednak w stanie zasilić pełnego oświetlenia stadionowego, dzięki czemu końcówka koncertu Chucka Berry'ego była wręcz bajkowa. Oświetlona scena, szalejący artysta i ciemna płyta stadionu rozjarzona płonącymi gazetami, programami koncertu i ognikami zapalniczek. Nie pierwszy i nie ostatni, ale jakże pamiętny i wyjątkowo efektowny triumf rock and rolla nad biurokracją. To była prawdziwa kraina czarów.

Spełnienie rockandrollowych marzeń przybysza znad Wisły. 1972 rok, show na Wembley, na fortepianie stoi i drze się Little Richard. Na płycie stadionu drą się tysiące zachwyconych słuchaczy

Supergrupa rockowa według Wojciecha Manna

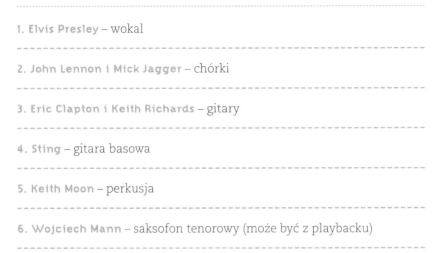

1. **Elvis Presley** – wokal

----

2. **John Lennon i Mick Jagger** – chórki

----

3. **Eric Clapton i Keith Richards** – gitary

----

4. **Sting** – gitara basowa

----

5. **Keith Moon** – perkusja

----

6. **Wojciech Mann** – saksofon tenorowy (może być z playbacku)

Wspominałem wcześniej o dużej różnorodności paszportów, którymi Ministerstwo Spraw Wewnętrznych dysponowało. Oczywiście te paszporty przebywały w tajemniczych sejfach odpowiednich urzędów, ponieważ przepis stanowił, że obywatel po powrocie do kraju musiał zwrócić dokument w ciągu tygodnia od przyjazdu. Niedotrzymanie tego terminu mogło bardzo źle rokować w wypadku kolejnych podróży. Pośród tych różnych paszportów, które obywatel mógł dostać, najbardziej przeze mnie pożądany był taki z pieczątką mówiącą „wszystkie kraje świata". To już była naprawdę pierwsza liga. Doszło do tego, że pewnego dnia taki właśnie paszport otrzymałem. Kierunek, oczywiście, Stany Zjednoczone, i to niekoniecznie Nowy Jork. Nowy Jork był naturalnie pierwszym przystankiem, ale to niezwykłe miejsce tyle razy już było opisywane, że nie będę się rozwodził nad jego atrakcjami. Powtórzę tylko za innymi, że jeżeli ktoś zna dobrze Nowy Jork, to wcale nie oznacza, że zna Stany. W mojej opowieści koncentruję się raczej na faktach związanych z moją ukochaną muzyką, a nie na spostrzeżeniach podróżnika, więc pominę aspekty turystyczno-krajoznawcze, choć już sama podróż samochodem ze Wschodniego Wybrzeża do Kalifornii mogłaby stanowić przynajmniej osobny rozdział. Oczywiście muzyki jest w Ameryce bardzo dużo, no bo tam wszystkiego jest dużo i wszystko musi być większe.

Po jakże imponujących mi swą zawartością płytowych sklepach Londynu myślałem, że już widziałem wszystko. Ameryka jednak musiała oczywiście mnie zaskoczyć. W Los Angeles po raz pierwszy zetknąłem się z sieciami sklepów, które dzisiaj już są, niestety poza Polską, zjawiskiem zupełnie naturalnym. Pamiętam pierwszy magazyn, do którego mnie zawieziono w Kalifornii – nosił nazwę The Wherehouse. Był fantastycznie zaopatrzony, pełen ludzi tak jak i ja chłonących muzykę, a do tego jeszcze czynny do dwudziestej czwartej. To dodawało specjalnego dreszczyku, kiedy można było wsiąść o późnej porze do samochodu i gorącą nocą pośród palm pojechać, i zrobić sobie jakiś wieczorny prezent muzyczny.

Ale nie tylko te wielkie sieci przyciągały moją uwagę. Odnalazłem tam również niezwykle interesujące sklepy zajmujące się sprzedażą płyt z drugiej ręki, tak zwanych cut-outs i innych rarytasów. Pierwszą przyczyną mojego częstego tam bywania były oczywiście niezwykle atrakcyjne ceny. Do tych sklepów trafiały na przykład płyty recenzenckie z napisem „Not for sale", których ludzie z branży z różnych przyczyn się pozbywali. To było niesamowite, bo różne atrakcyjne premierowe pozycje można było dostać za ułamek ceny katalogowej. Niejednokrotnie też można tu było znaleźć bardzo atrakcyjne bootlegi, które kuszą każdego kolekcjonera. Znakomitą pomocą przy robieniu zakupów w takich właśnie miejscach była doskonała orientacja ludzi tam pracujących. To w większości wypadków byli prawdziwi miłośnicy muzyki, a nie wytresowani ekspedienci, którzy na każde pytanie odpowiadają, zaglądając do komputera. Krążąc po różnych tego typu przybytkach, nieuchronnie zacząłem poznawać ludzi zajmujących się muzyką. W pewnym momencie okazało się, że to, co wiem o rock and rollu w Polsce, może być interesujące nawet na tamtym terenie. Jeden z moich nowo poznanych znajomych, widząc, że przywiozłem z Polski na prezenty trochę naszych płyt, powiedział, że to mogłoby zainteresować tamtejszą stację radiową.

Amerykańskie stacje radiowe to zupełnie oddzielny świat. W latach kiedy po raz pierwszy się z nimi zetknąłem, były podzielone na dwie podstawowe grupy: AM i FM, czyli nadające na falach średnich i ultrakrótkich. Ciekawsze oczywiście były te FM, nadawały z lepszą jakością i do tego stereo. Jednak większość z nich miała stosunkowo niewielki zasięg, więc bywało, że podczas podróży samochodem trzeba było przerzucać się z jednej częstotliwości na drugą. Przytłaczająca była również ich liczba. Na skali aż się roiło od różnych rozgłośni i początkowo naprawdę trudno było się w tym wszystkim połapać. Stacja, którą sugerował mój kalifornijski znajomy, nazywała się KCRW i jak się okazało, należała do grupy rozgłośni ambitnych, niekoncentrujących się wyłącznie na jakimś wąsko pojętym fragmencie rynku muzycznego. Sztandarową pozycją tego radia była poranna audycja *Morning Becomes Eclectic*, w której można było usłyszeć najróżniejsze nagrania i gości bez ograniczeń stylistycznych. Radiowcy z KCRW

W studiu KCRW w Santa Monica. Wówczas gospodarz programu *Morning Becomes Eclectic* Tom Schnabel był tam szefem muzycznym. Dzisiaj pełni funkcję dyrektora programowego World Music w Hollywood Bowl i w Walt Disney Concert Hall w Los Angeles

z zainteresowaniem przyjęli propozycję mojego występu, co uznałem za poważne wyróżnienie.

Nie ukrywam, że przed umówionym spotkaniem byłem dość zdenerwowany, tym bardziej że program szedł na żywo, a ja niepokoiłem się, czy nie zawiedzie mnie mój angielski. Do tego wszystkiego w drodze do siedziby stacji wpakowałem się w beznadziejny korek, a dodatkową gwarancją straty czasu była konieczność znalezienia odpowiedniego miejsca na parkingu, tak żeby nie musieć dodatkowo przebiec paru kilometrów od samochodu do radia. Ostatecznie prawie się spóźniłem (prawie, bo dotarłem do studia kilkadziesiąt sekund przed rozpoczęciem, zdyszany, bez możliwości jakiegokolwiek przygotowania czy zamienienia paru słów z prowadzącym). Wrzucili mnie z tymi moimi płytami na głęboką wodę, a do tego autor audycji, wyraźnie rozdrażniony czekaniem do ostatniej chwili, nie miał ochoty w niczym mi pomóc. Myślę, że wziął mnie za kompletnego amatora, który dziwnym trafem znalazł się u niego w studiu, i postanowił się zabawić moim kosztem. Coś burknął na powitanie i nawet mnie nie poinformował o tym, że jesteśmy na antenie. I tu się pochwalę: dokładnie wiedziałem, kiedy i co się dzieje, zdążyłem asystentce naburmuszonego gwiazdora wskazać utwory, które chcę nadać, i nie dałem się nabrać na trik z niewidoczną sygnalizacją mikrofonu. Muszę powiedzieć, że gospodarz audycji wszystko to docenił. Już po paru minutach wyraźnie poprawił mu się humor, stał się o wiele bardziej przyjacielski, a spora liczba telefonów od słuchaczy spowodowała, że wszelkie lody stopniały.

Zakończyliśmy program w bardzo dobrej komitywie, a ponadto w konsekwencji tej audycji odbyło się w UCLA (University of California w Los Angeles) spotkanie z ciekawym człowiekiem, czyli ze mną. Opowiadałem o polskim rynku muzycznym, puszczałem polskie płyty, a Amerykanie, co mnie bardzo cieszyło, z ciekawością wypytywali o wszystko. Cieszyło mnie dlatego, że tego typu spotkania często mają raczej charakter imprez polonijnych, i byłem bardzo dumny, że mogę choćby w małym stopniu opowiedzieć trochę o Polsce ludziom, którzy na co dzień nie mają z nią żadnego kontaktu.

Skoro wspomniałem o imprezach polonijnych, to nie sposób nie od-notować mojego w nich udziału. Skromnego, bo skromnego, ale zawsze. Najbardziej kuriozalnym wydarzeniem tego typu była moja i Krzyś-ka Materny przygoda z balem sylwestrowym zorganizowanym w jed-nym z hoteli w Chicago. Organizatorem był dość zdumiewający gentle-man polonijny, bodaj właściciel jakiegoś polskojęzycznego wydawnictwa. Chcąc od razu ustalić hierarchię ważności, poinformował nas, że on ak-ceptuje wszystko, co ma związek z balem, i nie chciałby, żebyśmy sła-bo wypadli, tym bardziej że nie ma do nas zaufania, bo o nas nigdy nie słyszał. Zaproszenia wystosował na podstawie rekomendacji swojej asy-stentki, a suma, którą ewentualnie nam wypłaci, jest, jego zdaniem, niezwykle wysoka. Dał też do zrozumienia, że ma odpowiednie powią-zania i możliwości tu i tam, więc nie warto z nim zadzierać. *Clou* pro-gramu zachował na koniec – poinformował nas, że jeżeli Stan Tymiń-ski jednak dojdzie do władzy, to on ma obiecaną tekę ministra spraw zagranicznych.

Struchleli ze strachu udaliśmy się do hotelu, w którym miał odbyć się bal i w którym jednocześnie byliśmy zakwaterowani. Dziwny to był hotel, bo bez gości i obsługi. Krótko mówiąc, pusty. Było to szczególnie nieprzy-jemne nocą, kiedy wszystko wyglądało tak jak w filmie *Lśnienie* Kubricka. Tłumaczyliśmy sobie, że wszystko jednak jest w porządku, a bal się od-będzie. Po prostu taki hotel jest tańszy, a w Ameryce każdy dolar na wagę złota i tym podobne.

Nadszedł oczekiwany wieczór 31 grudnia. W salach balowych w liczbie dwóch zaczęli zbierać się goście. W dwóch salach, gdyż okazało się, że rów-nolegle odbywa się inny, już nie polonijny, bal sylwestrowy. Hotel zaczął tętnić życiem. My z Krzyśkiem nie za bardzo tętniliśmy, ponieważ przyszły minister już na wstępie pokazał, co potrafi. Przy wejściu na gości czekały tace z powitalnym, niezwykle rozcieńczonym drinkiem niewiadomego po-chodzenia. Wchodząc, dostaliśmy po kieliszku czegoś żółtego, ale zanim sprawdziliśmy tego czegoś smak, pojawił się nasz dobroczyńca i powie-dział: „Tylko mi się nie upijcie, bo wy tu jesteście w pracy". Odstawiliśmy żółtą lurę i wzięliśmy się do roboty. Publiczność nawet nas zaakceptowała, ale nie organizator. Ze słowami: „Słabe macie te żarty", kazał nam poinformować zebranych, że bar będzie zamknięty zgodnie z przepisami stanu Illinois i – również zgodnie z tymi przepisami – będzie otwierany, o czym on poinformuje oddzielnym komunikatem. Dziwne nam się wydało, że przepisy stanu Illinois obowiązują tylko w jednej sali tego hotelu. Sąsiedni bal aż huczał zabawą, a tamtejsze bary działały w najlepsze. Nic dziwnego, że towarzystwo z naszej sali wymykało się napić po sąsiedzku bez szykan. Jednak nawet napicie się za ścianą nie pozwoliło nieszczęsnym Polonusom porządnie się rozkręcić.

Niemal tuż po toaście, około wpół do pierwszej, wszechwładny kolega Tymińskiego zamówił u nas kolejny komunikat. Chodziło o to, że „szatnia zamyka się o pierwszej, więc jeżeli ktoś ma ochotę jeszcze się bawić, to musi zawczasu odebrać wierzchnie okrycia i samodzielnie ich pilnować na sali balowej". Takiego kuriozum jeszcze w naszej barwnej karierze nie spotkaliśmy. Nie muszę dodawać, że i rozliczenie imprezy wyglądało szczególnie. Organizator szampańskiej zabawy najpierw nas poinformował, że jest bardzo zawiedziony naszymi występami, a co za tym idzie, stosownie redukuje nasze wynagrodzenie, tym bardziej że przecież płacił za hotel i nasze (dwa niedopite) drinki na balu. Po czym wyjął z kieszeni garść bardzo wymiętych banknotów o niewielkich nominałach i położył na stoliku.

Trochę szkoda, że nie został w końcu ministrem. Na przykład finansów. Pławilibyśmy się w dobrobycie. Nie narzekam jednak. Zaproszenie na dziwaczny bal pozwoliło mi trochę liznąć nie tylko polonijnego Chicago. Szczególne emocje przeżyłem w kilku klubach bluesowych, gdzie nawet kompletnie nieznani, dopiero aspirujący do wielkiej sławy artyści grali taką muzykę, że nie chciało się w ogóle wracać do domu.

Chicago to nie jedyny teren mojej działalności pośród Polonii. Że jednak miałem się w tym dziele koncentrować na sprawach rock and rolla, to pominę kilka ciekawych przygód, a skoncentruję się na Świerszczu,

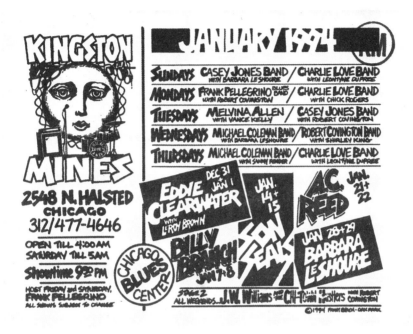

Od 1968 roku
po dziś dzień
w klubie
Kingston Mines
w Chicago od
wieczora do
rana słychać
bluesa w naj-
lepszym wyko-
naniu

czyli Leszku. Leszek Świerszcz to postać, której żaden polski artysta po-
pisujący się przed nowojorską poloniją publicznością nie może nie znać.
W czasach moich podróży do Nowego Jorku Leszek był właścicielem,
nomen omen, Cricket Clubu, w którym odbywały się imprezy dla tamtej-
szych Polaków. Można tam było słuchać zarówno muzyki mechanicznej,
tak zwanego house-bandu, czyli orkiestry klubowej, jak i przede wszystkim gwiazd z Polski. Klub mieścił się w środku Irvington, małej miejsco-
wości pod Nowym Jorkiem, charakteryzującej się tym, że zamieszkiwali ją
w przeważającej większości Murz…, przepraszam, Afroamerykanie. Niby
nic, jak się przyjeżdżało na imprezę klubową i dookoła był tłum dzielnych
i, bywało, napitych rodaków.

Gorzej, że Leszek lokował część zapraszanych na nieco dłużej gości
w małym, lekko zaniedbanym domku niemal przylegającym do klubu.
Poza klubowymi weekendami, kiedy było wokół rojno i gwarno, lokatorzy
domku zdani byli sami na siebie. Na przykład, o dziwo, w tamtych czasach

w domku nie było telefonu. Leszek tłumaczył, że to dlatego, iż oszczędne polskie gwiazdy, widząc działający telefon, natychmiast dzwoniły nie tylko do stęsknionych rodzin w Polsce, ale również do wszystkich możliwych bliższych i dalszych znajomych we wszystkich możliwych zakątkach świata. Rozumiałem, że to niekorzystnie odbijało się na bilansie Cricket Clubu. W razie pilnej potrzeby – a nie było wówczas łączności komórkowej – należało wyjść z domku i pójść do nieopodal położonej budki telefonicznej. Nie było to całkowicie bezpieczne, gdyż rodowici afroamerykańscy irvingtonianie też mieli sporo spraw do załatwienia przez telefon. Dodatkowo byli dość krewcy i nie za bardzo lubili nie-Afroamerykanów blokujących ich ojczystą budkę. Potrafili swoje niezadowolenie wyrazić głośno i konsekwentnie, towarzysząc nam nawet w szybkim marszu powrotnym do domku. Na szczęście na wszelki wypadek w sieni przy drzwiach stała spora siekiera. Jakby co…

Lokatorzy Świerszczowej chatki bywali nie byle jacy. Sam mijałem na schodkach Krzysztofa Krawczyka, Beatę Kozidrak, Tadeusza Nalepę, Ryszarda Poznakowskiego i wielu innych. Występy na scenie klubu były pewnego typu loterią. Trudno było przewidzieć, czy zjeżdżający tam weekendami Polonusi będą bardziej zainteresowani barem, parkietem czy estradą. Marne położenie Cricket Clubu rekompensowała bliskość Nowego Jorku. Wystarczała dość krótka podróż autobusem i już człowiek znajdował się w centrum świata, w Port Authority Bus Terminal, New York at 42nd Street, czyli na głównej stacji amerykańskiego pekaesu na Manhattanie, przy 42. Ulicy. Samochód Leszek dawał tylko wybranym i sprawdzonym, ale i oni potrafili zagubić się w plątaninie podnowojorskich autostrad. O atrakcjach tego miasta, jak już wspomniałem, inni napisali tak wiele, że nie mam zamiaru się z nimi ścigać na przeżycia. Ważne jest, że baza w Irvington pozwalała na różnorodne działania, w tym spotkania „z ciekawym człowiekiem", które dokumentuje załączony plakat. Spotykało się też na każdym kroku innych ciekawych ludzi, jak to w Nowym Jorku. W małym mieszkanku Michała Urbaniaka słuchałem opowieści, kto, kiedy, komu i dlaczego…

"POLSKA NIEDZIELA"

zaprasza Państwa serdecznie

na oczekiwane od dawna spotkanie

z KRZYSZTOFEM MATERNĄ
i WOJCIECHEM MANNEM

Będzie to jedyna okazja do **bezpośrednich** rozmów z tymi popularnymi osobowościami telewizyjnymi.

— *Spotkanie odbędzie się* —

**14 stycznia 1991 r. - o godz. 8-ej wiecz.
w Polskim Domu Narodowym
na Greenpoincie przy 261 Driggs Ave.**

Bilety w cenie $10.- są do nabycia:

TV-31

POLSKI DOM NARODOWY - 261 Driggs Ave. — Tel. (718) 387-5252

POLKA TRAVEL - 782 Manhattan Ave — Tel. (718) 389-8080

PAT TRAVEL - 271 Madison Ave. (p. 802)
Manhattan (pomiędzy 39 a 40 ulicą) — Tel. (212) 883-1210

MILLENIUM TOURS - 133 Greenpoint Ave. — Tel. (718) 389-5858

STUDIO FOTO VIDEO - 142 Driggs Ave. — Tel. (718) 389-5674

Dla mnie każda wizyta w Stanach jest przeżyciem. Nie dlatego, że wciąż trzeba się w Warszawie łasić do konsula w sprawie wizy, nie dlatego, że na miejscu, mimo wizy, trzeba dać się przesłuchać i złożyć odciski palców, nie dlatego, że mają duże budynki i samochody, i to, i to, i tamto. Przede wszystkim dlatego, że na każdym kroku tam jest rock and roll. Nawet na poczcie.

Ta moja muzyczna Ameryka zmienia się jednak z dnia na dzień. Z mojej perspektywy nie zawsze na lepsze. Sezonowe, komputerowo generowane przeboiki plastikowych gwiazdek królują na listach bestsellerów. Prawdziwa muzyka ukrywa się coraz częściej w niewielkich klubach, przygarnięta przez małe, niezależne wytwórnie. Za sprawą internetu znikają tak magiczne dla mnie miejsca jak sklepy płytowe! Mimo łatwości kupowania w sieci zawsze będę tęsknił za zgiełkiem wypełnionych muzyką Tower Records, Wherehouse czy Virgin. Nadal jednak są w Stanach i we wszystkich innych miejscach na świecie prawdziwi, fantastyczni muzycy, którzy przetrwają zalew komercji i prędzej czy później pokażą innym swoją sztukę. Warto ich wypatrywać i tropić, bo rock and roll wciąż jest wokół nas, tak samo fascynujący jak dawniej.

Źródła zdjęć zamieszczonych w książce

s. 5, 20, 25, 42, 55, 73, 77, 89, 91, 111, 115, 117, 118, 129, 132, 134, 137, 139, 141, 148, 151, 156, 159, 168, 170, 172, 174, 176, 179, 184, 187, 188, 191, 195, 197, 198, 200–201 – archiwum autora

s. 9, 49 – Piotr Męcik/FORUM

s. 17 – © TopFoto/FORUM

s. 28 – KEYSTONE Pictures USA/FORUM

s. 30, 45, 155 – Credit © Rue des Archives/AGIP/FORUM

s. 33 – © 2006 TopFoto/FORUM

s. 37 – Andrzej Sidor/FORUM

s. 39 – Tomasz Barański/REPORTER

s. 61 – SSPL/NMeM/Daily Herald Archive/FORUM

s. 63 – Aleksander Jałosiński/FORUM

s. 70 – © The Granger Collection, New York/FORUM

s. 80 – Jan Malec/FORUM

s. 83 – The ArenaPAL Picture Library/Jak Kilby/FORUM

s. 85 – Jerzy Drużkowski

s. 93 – Mirosław Stankiewicz

s. 97 – Jacek Domiński/REPORTER

s. 100 – Jerzy Płoński/FORUM

s. 104, 124–125 – Andrzej Wiernicki/FORUM

s. 146 – Jan Bogacz/FORUM

s. 163 – Piotr Małecki/FORUM

Spis treści

Spis treści

Społeczny Instytut Wydawniczy Znak,
ul. Kościuszki 37, 30-105 Kraków. Wydanie I, 2010.
Druk: Legra Sp. z o.o., Kraków.